VOTRE ENFANT ET LA DISCIPLINE

OUVRAGES DE T. BERRY BRAZELTON
PUBLIÉS EN FRANÇAIS

La Naissance d'une famille, ou comment se tissent les liens, Stock, 1983.

Trois Bébés dans leur famille, Laura, Daniel et Louis : les différences du développement, Stock, 1985.

À ce soir... Concilier travail et vie de famille, Stock, 1986.

L'Enfant et son médecin, Payot, 1986.

T. Berry Brazelton vous parle de vos enfants, Stock, 1988.

Familles en crises, Stock, 1989.

Les Premiers Liens, Calmann-Lévy, 1991.

Points forts, vol. 1 : *Les Moments essentiels du développement de votre enfant*, Stock, 1993.

Allons chez le docteur, Odile Jacob, 1997.

Écoutez votre enfant : comprendre les problèmes normaux de la croissance, Payot, 2001.

Ce qu'un enfant doit avoir : ses sept besoins incontournables pour grandir, apprendre et s'épanouir, Stock, 2001.

Points forts, vol. 2 : *De trois à six ans : le développement émotionnel et comportemental de votre enfant*, Stock, 2002.

Apaiser son enfant, Fayard, 2004.

Votre enfant et son sommeil, Fayard, 2004.

T. Berry Brazelton
Joshua D. Sparrow

Votre enfant
et la discipline

Traduit de l'anglais (États-Unis)
par Marie-France de Paloméra

Fayard

Titre original :
Discipline
Édité par Perseus Publishing, Cambridge, Mass.

*Pour les enfants et les parents
qui nous ont tant appris au fil des ans.*

SOMMAIRE

SOMMAIRE

PRÉFACE

À compter du jour où a paru le premier ouvrage de la collection «Touchpoints» (en français : «Points forts»), en 1993, des parents et des spécialistes de tout le pays m'ont demandé avec insistance et persévérance d'écrire de petits guides pratiques sur les difficultés auxquelles sont couramment confrontés les parents dans l'éducation de leurs enfants. Parmi les plus habituelles figurent les pleurs, la discipline, l'endormissement d'un bébé ou d'un enfant, autant de sujets que nous abordons dans cette collection intitulée «La méthode Brazelton»[1].

Depuis que j'exerce la pédiatrie, les familles m'ont appris que ces difficultés étaient souvent prévisibles et surgissaient au rythme du développement de l'enfant.

---

1. Deux autres titres de cette collection paraissent chez Fayard parallèlement au présent ouvrage : *Votre enfant et son sommeil* et *Apaiser son enfant*.

17

Dans ces petits livres, j'ai essayé de répondre aux problèmes de pleurs, de discipline et de sommeil auxquels ne peuvent échapper les parents lorsque leur enfant régresse juste avant de passer à un palier supérieur de son développement. Chacun d'entre eux décrit l'un de ces moments essentiels et vise à permettre aux parents d'aider leurs enfants à maîtriser les obstacles qu'ils rencontrent dans ces domaines afin de poursuivre leur parcours.

Comme dans le deuxième volume de la collection « Points forts »[1], j'ai demandé au Dr Joshua Sparrow, co-auteur des trois guides, d'ajouter son point de vue de pédopsychiatre. D'une façon générale, ces livres examinent les centres d'intérêt et les possibilités des six premières années de la vie, en évoquant au besoin des points concernant des enfants plus âgés. Le dernier chapitre de chacun d'entre eux aborde des problèmes particuliers, même si ces petits ouvrages ne sont pas destinés à les traiter à fond, pas plus qu'ils ne se substituent au diagnostic ou au traitement médical direct.

---

1. *Points forts*, vol. 2 : *De trois à six ans : le développement émotionnel et comportemental de votre enfant*, Stock, 2002.

Nous souhaitons qu'ils constituent des guides faciles à utiliser et vers lesquels les parents pourront se tourner lorsqu'ils seront confrontés aux difficultés de croissance de leurs enfants ou à ces «points forts» qui signalent des moments essentiels et passionnants de leur développement.

Bien que courantes et prévisibles, des difficultés comme les «coliques» ou les pleurs excessifs, les réveils au milieu de la nuit ou les colères, exigent beaucoup des parents. Les problèmes de cette nature sont pour la plupart passagers et sans gravité. Toutefois, ils peuvent peser d'un poids trop lourd sur une famille si elle manque de compréhension et de soutien, et faire gravement dévier le développement de l'enfant. Nous espérons que l'information simple et directe dispensée dans ces ouvrages contribuera à éviter ces déraillements inutiles et rassurera les parents dans leurs périodes de doute afin de raviver chez eux, même dans ces moments difficiles, l'enthousiasme et la joie d'aider un jeune enfant à grandir.

Introduction

LA VOIE DE L'AUTODISCIPLINE

La discipline est le deuxième don le plus important que le parent fait à son enfant. Le premier est l'amour, bien sûr. Mais la sécurité que la discipline apporte à l'enfant joue un rôle essentiel, car sans discipline il n'existe pas de limites. Or les enfants en ont besoin : elles les sécurisent. Ils se savent aimés quand un parent s'intéresse assez à eux pour leur faire ce don.

«Discipline» signifie enseignement, non punition. Le sens de la discipline ne s'acquiert pas du jour au lendemain. Il exige des efforts répétés et de la patience. Les parents ont pour but d'apprendre à leur enfant à se contrôler, afin que lui-même définisse ses propres limites au terme du processus. Cela prendra des années. Notre vœu est de tracer ici la carte des premiers pas sur cette voie : les «points forts» de la discipline. En établissant avec amour et fermeté un ensemble de limites dès les premières années, les parents aident l'enfant à élaborer les normes internes dont il aura besoin toute sa vie. La discipline s'apprend infiniment plus tôt que beaucoup de parents ne le pensent : dès les premiers jours de la vie.

Lorsqu'ils savent qu'un enfant s'annonce, les parents imaginent mal qu'un jour viendra où ils devront dire «non» à ce petit être tant désiré. Mais, vers huit mois, un enfant parvient à un stade de son développement où il montre sans ambiguïté qu'il fait ce qui est défendu mais qu'il le sait. Quand il se dirige à quatre pattes vers la cuisinière, il s'immobilise soudain et lève les yeux vers le visage de son père, sachant qu'il lui exprimera sa réprobation. Il penche la tête de côté d'un air inquisiteur, sourit et file de l'avant, avec la quasi-certitude que son père va le suivre pour l'arrêter.

Tous les parents font l'expérience de ce rite de passage. L'image qu'ils ont de l'innocence de leur chérubin a du plomb dans l'aile, tandis qu'ils affrontent leur nouvelle responsabilité. Répondre aux besoins du bébé et le protéger de son environnement ne suffit plus. Il leur incombe désormais de fixer une limite à ses désirs et de le protéger de lui-même. Dire «non» à l'enfant, lui imposer délibérément des restrictions pour son bien, se comporter d'une façon qui, si elle le chagrine, est nécessaire à son développement sain et harmonieux, ne correspond pas à ce qu'ils imaginaient en abordant leur métier de parents. La contrariété de l'enfant ne sera pas moindre que la leur. Ils doivent endurer sa colère tandis qu'ils comprennent ses besoins, et en quoi consiste leur fonction.

Nous dévoilons qui nous sommes par la discipline que nous imposons à nos enfants. Nous révélons comment nous avons été élevés et avons réagi aux règles qui nous ont été inculquées ou qui nous ont manqué. Celles que nous leur proposons traduisent ce dont nous les croyons capables, nos rêves sur leur personnalité future, nos espoirs et nos craintes sur le monde auquel nous les préparons. Elles expriment aussi les valeurs de notre société, car nous savons qu'on nous tiendra pour responsables de leur «mauvaise conduite». Nous savons que nos efforts pour en faire des enfants «bien élevés» seront sanctionnés par le jugement d'autrui.

La discipline sert des objectifs différents selon les sociétés. Dans des conditions de vie dangereuses, elle doit former aux techniques de survie. Là où l'individualité prime, les parents l'utiliseront pour récompenser la libre expression de soi. Là où on admire la réussite, elle servira à payer l'enfant de retour pour s'être distingué de la masse, mais pas forcément à l'empêcher de marcher sur les pieds des autres pour y parvenir. Dans les sociétés où l'individu doit placer les besoins des autres au-dessus des siens, la discipline aidera un enfant à comprendre ce qu'on exige de lui pour s'y adapter, mais elle sanctionnera le non-conformisme, voire l'esprit d'initiative.

Dans une société multiculturelle comme celle des États-Unis, parents et éducateurs doivent comprendre que les règles de discipline sont façonnées par la culture et suivent, d'une manière claire et cohérente, ses valeurs et ses traditions.

La discipline doit être adaptée à chaque enfant et doit instaurer un équilibre. Des règles et des attentes claires et cohérentes – accompagnées de sanctions appliquées avec fermeté quand elles ne sont pas respectées – sont nécessaires. Tout comme l'est la compréhension des motivations de l'enfant, de ce qu'il est capable, à chaque âge, de savoir, ou des émotions qu'il peut assumer. Cette tâche est infiniment plus difficile pour des parents que celle qui consiste simplement à adopter une attitude stricte *ou* permissive. Mais assurer le développement moral et la compétence émotionnelle d'un enfant s'avérera en définitive plus gratifiant que d'en faire seulement un enfant obéissant.

«Un enfant qui ignore la discipline est un enfant qui ne se sent pas aimé», écrivait Selma Fraiberg, spécialiste du développement de l'enfant. Mais que les parents ne s'attendent pas à ce qu'il les en remercie, sauf s'ils peuvent patienter jusqu'à ce qu'il connaisse à son tour la joie d'avoir des enfants et les défis posés par leur éducation.

1.

LES POINTS FORTS
DE LA DISCIPLINE

Le mot «discipline», nous l'avons dit, signifie enseignement. Par chance, les six premières années de la vie offrent des possibilités d'apprentissage exceptionnelles. Certaines leçons peuvent être apprises par la suite, mais souvent à un prix plus élevé et plus douloureux pour l'enfant. La discipline va jouer un rôle déterminant dans plusieurs acquisitions :

1. le contrôle de soi : la prise de conscience de ses pulsions, de ce qui les déclenche, du fait qu'elles peuvent blesser les autres, de la façon de s'empêcher de les suivre;

2. la capacité à identifier ses sentiments et émotions et ce qui les suscite, à les nommer, à les exprimer ou à les garder pour soi lorsque c'est nécessaire;

3. la capacité à imaginer les sentiments et émotions des autres, à comprendre ce qui les provoque, à les prendre en considération et à discerner l'effet de ses actes sur autrui ;

4. le sens de ce qui est juste et la motivation à se comporter honnêtement ;

5. l'altruisme : découvrir la joie de donner, voire de se sacrifier pour un autre être humain.

L'ensemble de ces acquisitions vitales sera utile à l'adolescence et pendant toute la vie. Sans elles, les obstacles ultérieurs s'avéreront encore plus ardus à surmonter.

Les points forts

Tout au long de ce guide, nous évoquerons des «points forts», c'est-à-dire des moments où l'enfant régresse avant d'effectuer un «bond» dans son développement. Ces périodes plongent les parents dans l'anxiété, voire l'irritation. L'équilibre psychologique de la famille entière peut s'effondrer – momentanément. Après s'être assurés qu'il n'est pas malade, les parents peuvent se mettre en retrait et laisser leur enfant résoudre son problème ou lui prodiguer des encouragements s'il en a besoin.

Nous précisons l'âge auquel ces changements surviennent en général, mais les enfants dont le développement se voit freiné par des handicaps iront à leur propre rythme. Toujours, les points forts de l'enfant conduisent un parent à se demander si la discipline s'avère plus nécessaire que jamais ou s'il convient de légèrement l'assouplir.

La mise en place de la discipline : les six premiers mois

Établir les bases dès le tout début

Dès le commencement de sa vie, un bébé doit apprendre à utiliser le sommeil, l'éveil, l'agitation ou les pleurs pour équilibrer ses besoins avec les exigences de son environnement. Il apprend à s'endormir de lui-même pour recharger ses batteries ou pour se protéger des bruits trop sonores et des lumières vives. À pleurer pour faire connaître ses besoins, et à le faire de façon différente selon leur nature. À établir un contact visuel intense avec les personnes qui s'occupent de lui pour leur faire savoir qu'il les juge importantes et pour en apprendre le plus possible à leur sujet. Chaque bébé établit cet équilibre par une stratégie qui lui appartient en propre.

S'apaiser et s'autocalmer

Certains bébés savent vite se calmer en suçant leur pouce ou en tripotant une couverture; d'autres ont besoin qu'on les prenne dans ses bras, qu'on leur parle doucement ou encore qu'on les berce. Tous apprennent à allier leurs méthodes d'apaisement personnelles avec celles que le parent leur propose. Voilà peut-être le signe avant-coureur de la discipline et de l'auto-discipline. Cet apprentissage précoce de la manière de gérer les pleurs et d'autres états peut servir de base à l'acquisition ultérieure du contrôle des pulsions et des émotions.

Les parents se forment à leur métier de manière empirique. Avec un nouveau-né, ils apprennent vite à ne pas réagir au moindre pleur par un déploiement d'efforts en vue de le réconforter. Je vous conseille de jeter un coup d'œil discret à votre bébé pour voir comment il gère sa contrariété. Souvent, vous pourrez repartir, ayant constaté qu'il dispose de ressources pour se calmer. À d'autres moments, quelques secondes vous suffiront pour savoir qu'il a besoin d'être pris dans les bras et d'entendre des paroles douces et apaisantes.

Une fois que votre bébé s'est calmé, observez-le encore. Est-il prêt à assumer seul sa nouvelle humeur, plus joyeuse ? Ou va-t-il « craquer » de nouveau dès que vous l'aurez reposé ? Le nourrisson se frotte la joue avec le dos de la main. Ou bien contemple les feuilles d'une plante. Vous décidez de tenter votre chance et de le recoucher.

Les pleurs se déclenchent aussitôt. Cette fois, essayez de ne pas le prendre dans vos bras. Dites-lui, doucement : « Tu es capable de te calmer tout seul. Tu sais le faire. Tout va bien. » Si le bébé s'apaise, dites-lui : « Tu te débrouilles très bien. » Souvent vous verrez son visage s'illuminer. Vous pourrez alors communiquer tous deux par le regard, le sourire et l'échange pleurs-paroles.

Établir la communication ou la rompre : laisser l'initiative au bébé

Dans une minute ou deux, le bébé va détourner son regard et paraître moins animé. Son système nerveux est surchargé, et il a déjà appris à se replier sur lui-même pour s'apaiser. Si vous sentez qu'il se fatigue, essayez de respecter son besoin d'un court repos.

En marquant ce bref recul, vous lui permettrez de tester ses «commandes» internes. Il s'adressera à vous pour obtenir des commandes externes quand il en aura besoin. Si vous lui fournissez tous les éléments d'apaisement, il n'apprendra rien. Si vous n'en fournissez aucun, il n'apprendra pas à se calmer de lui-même ou à passer à un état alerte, attentif. Il n'apprendra à gérer sa contrariété que par le repli sur soi. Une stratégie si limitée fait courir au nourrisson le risque de devenir inaccessible, incapable de se développer pleinement.

Si le parent ne comprend pas ou ne respecte pas son besoin, au cours des premiers mois, d'établir ce type de communication ou de la rompre, le bébé passera à côté de sa première possibilité d'apprendre à maîtriser ses degrés d'excitation. Quand vous vous amusez et babillez avec lui, son enthousiasme grandit. Arrivé au comble de l'excitation, la situation le dépasse. Quand il se replie sur lui-même un court instant pour se réorganiser, il prend en quelque sorte l'initiative d'un temps de récupération. Voyez ces périodes comme des occasions d'apprentissage.

Premiers schémas d'organisation

À trois ou quatre mois, un nourrisson est capable de se distraire seul en écoutant des crécelles ou des grelots, en fixant avec attention des jouets suspendus au-dessus de son lit, et même en commençant à essayer de les attraper – mais il lui faudra probablement attendre encore un mois avant de parvenir à les saisir. Il dispose à présent des ressources voulues pour espacer de trois ou quatre heures les tétées, et peut allonger ses périodes de sommeil. Il a accompli ces nouvelles prouesses grâce aux encouragements subtils d'un parent.

Quand le bébé se réveille ou commence à pleurer, ne vous précipitez pas pour le prendre ; attendez de voir s'il est capable de s'intéresser à ses jouets. Dans l'affirmative, repartez sur la pointe des pieds. Sinon, agitez les jouets et attirez son attention sur eux, puis restez à proximité pour l'observer. S'il ne se calme toujours pas, prenez-le et câlinez-le. Mais une fois qu'il est calmé, essayez de nouveau de l'intéresser à des choses qu'il puisse regarder et écouter : elles lui permettront d'emmagasiner de nouvelles sensations. Vous aurez peut-être l'impression, ce faisant, de ne pas répondre aux besoins de votre bébé. Mais en réalité, en l'observant avec attention pour savoir à quel moment vous effacer, vous l'aidez à compter sur ses propres ressources.

Comme vous le voyez, avant même de se rendre compte qu'ils l'éduquent, les parents poussent subtilement leur bébé à adapter ses horaires de tétée et de sommeil à un cycle jour-nuit. Avant même que l'idée de discipline ne surgisse, ils encouragent déjà leur nourrisson de trois mois à recourir à ses propres techniques pour s'endormir de lui-même, allonger les intervalles entre les tétées, se calmer s'il est perturbé, s'amuser quand il s'ennuie. Ces premiers schémas d'organisation créent une base sur laquelle greffer la discipline, et préparent l'enfant à l'accepter. Surtout, celui-ci apprend déjà à utiliser ses ressources pour s'adapter au monde.

Peut-on faire d'un bébé un «enfant gâté»?

Certains parents craignent qu'un bébé pris trop souvent dans les bras ne devienne un «enfant gâté». Nous ne croyons pas qu'un bébé puisse être «gâté» avant sept ou huit mois. Jusqu'à cet âge, nourrisson et parents apprennent à se connaître et cette tâche les absorbe pleinement. Les

---

parents continuent de découvrir les compétences du bébé. Si vous vous sentez tenu(e) de protéger votre bébé de la moindre contrariété, vous risquez de gêner ses apprentissages. Observez-le plutôt avec attention. Après quelques cris, voire un tressaillement, le bébé commence à tripoter la bordure satinée de sa couverture. Il fixe votre visage et se calme.

À sept ou huit mois, les bébés apprennent déjà à moduler leurs différents états, à concentrer leur attention dans un regard intense qui fait fondre tous les parents, à se calmer par leurs propres moyens s'ils sont perturbés, à s'endormir d'eux-mêmes s'ils sont fatigués ou dépassés par la situation. Ils n'y parviennent pas toujours. Mais les bébés qui n'ont jamais la possibilité de s'autocalmer ou de se rendormir d'eux-mêmes – par exemple, les nourrissons qui ne dorment que si on les met au sein – deviendront dépendants d'une autre personne pour y parvenir.

Vers sept ou huit mois : le besoin de limites apparaît

Vers sept ou huit mois, un bébé qui a commencé à marcher à quatre pattes est un bébé qui a déjà soif de discipline. Il est partagé entre le désir d'explorer un nouveau territoire et les mises en garde sévères de ses parents : «Non, tu ne t'approches pas de la cuisinière (ou de la télévision, ou de la lampe).» Il apprend rapidement à s'attendre à une réaction, et il étudie votre expression avant de se décider. Si votre visage dit : «Reviens ici», il file plus vite que jamais dans la direction interdite – en ayant besoin d'être absolument sûr que vous allez le pourchasser. Il apprend à connaître les limites en les testant.

Apprendre le danger à l'enfant

Apprenez sans attendre à votre enfant que la cuisine est un endroit dangereux. Postez-vous près de la cuisinière, montrez-la du doigt. Retirez aussitôt votre doigt en le secouant d'une façon spectaculaire et en vous écriant : «Aïe! Ça brûle!», avec une mimique simulant la douleur. S'il tient à vérifier, ne le laissez poser que le bout de ses doigts sur le côté de la cuisinière, après en avoir vous-même effleuré la surface pour vérifier qu'il ne craint rien. Mieux, faites-lui prendre conscience de la chaleur qu'elle dégage avant que son doigt ne la touche : «ÇA BRÛLE!» Assurez-vous qu'il ne croit pas à un jeu. Si vous procédez avec un sérieux et une fermeté sans faille, le bébé saura que

36

vous ne plaisantez pas. Mais à cet âge, naturellement, il n'est pas question de laisser un bébé seul à proximité de sources de danger qu'il peut être tenté de tester.

La préhension :
à nouvelle capacité nouveaux problèmes

Au même moment, l'enfant acquiert une compétence qui n'appartient qu'aux humains et aux grands singes. Savoir réunir le pouce et l'index pour saisir et manipuler de petits objets et s'en servir comme outils lui octroie un pouvoir nouveau sur le monde. Il veut à tout prix manger tout seul, expédiant des débris de nourriture dans toutes les directions. Exaspéré, le parent hésite entre enfiler son imperméable et ouvrir un parapluie. L'heure est venue de protéger le sol d'un plastique et de dire adieu aux tapis.

Nouveau sujet d'inquiétude : quand il mange seul, mange-t-il en quantité suffisante? Dites-vous bien que vous ne parviendrez pas à vaincre sa détermination. Mettez-lui une cuiller dans chaque main. Après quoi vous réussirez peut-être à lui en glisser une troisième dans la bouche. Si vous ramassez la cuiller que votre bébé a laissée tomber et la lui redonnez, vous entamez un petit jeu qu'il ne manquera pas d'exploiter. Tandis que vous vous pliez en deux en pestant et que vous la ramassez une fois de plus, demandez-vous qui a le contrôle de la situation. Quand vous vous fatiguez et laissez la cuiller par terre, vous lui montrez les limites de son pouvoir – sur vous.

Les parents peuvent proposer de la nourriture à l'enfant, mais pas le faire manger. Comme la discipline, manger seul doit devenir un acquis.

Montrer du doigt

À peu près à la même période, le bébé découvre une autre des fonctions de ses doigts : montrer. Avant qu'il sache le faire, il est souvent difficile pour le parent d'interpréter ce qu'il veut, et frustrant pour l'enfant de ne pas pouvoir le lui faire savoir. Maintenant, il lui suffit de tendre le bras et l'index pour dire : «Donne-moi cela.» Tout à leur joie de comprendre si clairement les désirs de leur chérubin, les parents lui obéissent au doigt et à l'œil. Jusqu'au jour, néanmoins, où ils devront s'armer de courage et lui dire : «Non.»

La discipline, c'est aussi aider l'enfant à assumer et à dominer sa frustration. À cet âge, l'enfant peut se laisser distraire par un jouet séduisant, mais pas longtemps. Il se montrera bientôt capable de garder dans son esprit l'image de ce qu'il veut exactement, même lorsque l'objet de son désir aura disparu. Le temps où on le faisait aisément changer d'idée et oublier sa déception est révolu. Malheureusement, cela se produit souvent avant qu'il ait appris à gérer ses frustrations par d'autres méthodes, qui viendront bien, mais *plus tard*, avec le langage.

La crainte des étrangers

Fort de ces compétences fraîchement acquises, un bébé de cet âge s'apprête à affronter une nouvelle dimension du monde : la distinction entre le connu et l'inconnu. Il a remarqué depuis plusieurs mois les différences entre ses parents, et même entre eux et une personne étrangère, et y a réagi. Mais soudain la signification de la notion d'« étranger » semble le frapper. Dès qu'on s'approche de lui, il se met à pleurer, détourne la tête et se colle à son parent. Ce comportement va de pair avec le point fort qu'est sa nouvelle compréhension des individus et du rôle qu'ils jouent dans sa vie. Autant vous attendre à des moments de perplexité et d'embarras quand il repoussera avec violence des grands-parents blessés qui – avec les meilleures intentions du monde – ne peuvent s'empêcher de se montrer encore plus envahissants.

Ce point fort définit une période où la discipline doit prendre en compte les acquis de l'enfant. Personne n'est en droit de le contraindre à accepter un « étranger » avant qu'il n'y soit prêt. S'il a peur, il mérite d'être réconforté. L'étranger doit comprendre que cette réaction intense cache un nouveau bond de la compréhension et de l'intelligence. Si on lui permet de faire connaissance à son propre rythme, l'enfant apprendra à maîtriser la situation. Il s'adaptera à cette nouvelle prise de conscience des personnes étrangères et pourtant connues qui l'ont d'abord tant effrayé. Les bonnes manières viendront en leur temps.

De neuf à douze mois : déchiffrer l'expression des parents

Vers neuf mois, une nouvelle compétence remarquable, la notion de « référence », fait son apparition. Le bébé se tourne vers le visage d'un parent pour chercher un signal qu'il est maintenant capable de décoder rapidement, cela à propos de tout événement fortuit, son propre comportement compris. Cette nouvelle capacité à enregistrer les signaux survient à point nommé puisque, à cet âge, la plupart des bébés maîtrisent la marche à quatre pattes. Après une crise intense de crainte des étrangers, ils sont désormais capables d'utiliser le comportement non verbal d'un parent pour se rassurer et se guider.

L'enfant fonce à quatre pattes vers la télévision, par exemple, bien décidé à jouer avec les boutons interdits; il s'arrête et regarde l'expression de son parent. Il sait déjà reconnaître un visage sévère qui dit «non». Il a peut-être déjà appris qu'on ne touche pas à la télévision. Mais n'importe quel enfant en proie à une telle tentation a besoin de se remettre en mémoire cette interdiction en déchiffrant le visage du parent pour dissiper la confusion que son désir a éveillée. Cette fois, on ne plaisante plus avec la discipline. Jusqu'à maintenant, il suffisait de détourner son attention. Désormais, la fermeté s'impose.

Au cours des premières années, les jeunes enfants investissent une énergie incalculable dans des tâches qui, une fois maîtrisées, passent trop souvent pour aller de soi, comme déchiffrer la signification non seulement du langage, mais du ton de la voix, de l'expression du visage et des gestes. Les parents doivent comprendre les efforts des enfants, tout ce qu'ils ont à apprendre, et à quel point ils comptent sur nous pour leur révéler ces significations par notre comportement. Si nous y sommes attentifs, nous verrons que leur désobéissance représente pour eux un mode d'apprentissage empirique, non une attaque personnelle dirigée contre nous en tant que parents. Nous comprendrons aussi combien il est vital de réagir avec fermeté à leur « inconduite ».

À cet âge, il est essentiel d'adresser des messages clairs, cohérents – la même réaction à la même situation. Si, lorsqu'il tend la main vers le bouton du volume, sa mère ne peut retenir un sourire devant cette provocation taquine, l'enfant saisit le bouton et le tourne au maximum. Et cela même si la mère dit : « Non, tu ne le touches pas ! » avec une expression amusée. Si la première réponse n'est pas claire, le bébé recommence en dépit du « non », cette fois sans avoir l'air de plaisanter. Il réagit au message ambigu du parent, dans ce cas précis flou et difficile à interpréter pour lui.

L'importance de la répétition

Les bébés ont besoin que les parents continuent à dire « non » jusqu'à ce que l'interdiction soit assimilée et n'exige plus d'être vérifiée. Ils apprennent par la répétition. Les parents éprouvent souvent un sentiment de frustration, voire de découragement, quand un bébé ou un jeune enfant reproduit sans fin une attitude qui lui attire régulièrement un « non ». Puisqu'il connaît déjà la règle, le bébé semble prendre plaisir à les tourmenter. Pourquoi tous les enfants se sentent-ils tenus de « tester » ? Tout simplement parce qu'ils essaient de comprendre. Est-ce toujours « non » ? Est-ce « non » quand tu le dis comme ceci ? Ou comme cela ? Est-ce « non » dans la cuisine aussi ? « Non » quand mes amis sont là, ou bien juste quand nous sommes seuls ? Peut-être est-ce *vraiment* « non » la première, la deuxième et la troisième fois, mais pas la quatrième ni la cinquième. Peut-être, se dit le bébé, que mon obstination sera couronnée de succès !

Pour compliquer encore les choses, il arrive que le « non » ne soit pas valable dans tous les contextes. Au début, les boutons de la télévision se ressemblent tous : on les tourne, on appuie dessus, et maman se met en colère. Mais un peu plus tard le bébé ou le jeune enfant s'aperçoit qu'un des boutons a le pouvoir de tirer de cette boîte passionnante des hurlements et des vociférations, qu'un autre fait surgir une nouvelle image, et qu'un troisième fait tout disparaître. Le même « non » vaut-il pour tous ?

« Non, tu ne t'assieds pas sur mes genoux pour dîner. » C'est vrai à la maison, mais pas dans un restaurant dépourvu de chaise de bébé, et pas chez les grands-parents, où l'enfant, à force de se tortiller, échappe au rehausseur pour explorer un territoire nouveau, mais non garanti « sans danger pour les enfants » et bourré de trésors fragiles.

« Non » ne s'appliquera pas forcément aux frères et sœurs de l'enfant ou à ses parents. Le bébé qui crapahute vers la télévision doit apprendre que les boutons lui sont interdits *à lui*. Que les règles ne sont pas toujours identiques pour tout le monde. Nous demandons beaucoup à un enfant de cet âge ! (Même les parents ont du mal à accepter que l'équité ne signifie pas des règles identiques pour tous. Dans certains cas, chaque enfant d'une famille doit se plier à des injonctions différentes, adaptées à ses capacités et à ses besoins.)

S'ajoute à cela le fait inévitable que les règles et les attentes se modifient à mesure que l'enfant grandit. «Oui, tu peux tourner le bouton du volume maintenant que tu sais le faire.» «Génial! pensera l'enfant. Peut-être que je peux tourner aussi ceux de la cuisinière maintenant!»

Il est possible également que le «non» varie d'un adulte à l'autre, par l'intonation, par l'expression du visage, et ne paraisse pas s'adresser à la même chose. Venant d'un parent qui travaille à la maison, le «non» fait partie des bruits de fond; mais, émis par un parent absent toute la journée, il prend une tonalité moins routinière et attire davantage l'attention. Le «non» d'un aîné sera plus bruyant, et le «non» d'un grand-parent totalement inattendu!

Un parent qui passe ses journées à la maison dit «non» au chahut qui s'instaure juste avant l'heure du coucher, alors qu'un parent qui rentre de son travail y prend un vif plaisir. Un parent d'un naturel inquiet dira «non» aux bagarres. Mais si l'autre parent estime que l'affirmation de soi apprend à se défendre dans la vie, l'enfant lira forcément une approbation tacite dans ses yeux animés et son sourire serein. Les parents des bébés et des jeunes enfants découvrent souvent, alors, la différence de leurs attentes. D'où l'ambiguïté des messages.

Nous voyons sans peine l'importance de la répétition, de la cohérence et de la clarté des messages, pour peu que nous prenions le temps de réfléchir à ce que nous voulons exactement inculquer à nos jeunes enfants.

Comment établir des règles claires et cohérentes

1. Fixez les règles auxquelles vous vous tiendrez.

2. Adaptez-les aux besoins et compétences de chaque enfant – il est inutile de fixer les mêmes règles pour tous ; vous aiderez chaque enfant à comprendre qu'elles sont néanmoins équitables.

3. Assurez-vous que l'autre parent est d'accord.

4. Dites à votre enfant – par les mots, le ton de la voix, l'expression du visage et les gestes – en quoi consiste la règle.

5. Attendez-vous à ce qu'il la teste.

6. Réagissez toujours de la même façon. Tout changement lui donne envie de savoir ce qui se passera la prochaine fois.

7. Attendez-vous à des manœuvres imprévues : ses nouvelles compétences le lui permettent.

8. Prévoyez de réévaluer régulièrement vos règles et vos attentes ; certaines devront être révisées à mesure que l'enfant grandit.

De douze à quatorze mois

Un jeune enfant qui commence à marcher est à la fois ravi et effrayé par sa nouvelle mobilité. En passant dans la pièce voisine, il a la capacité de faire disparaître son parent. Il va tester sans se lasser cette compétence toute neuve, tantôt au comble de l'excitation devant le pouvoir qu'il se découvre, tantôt sanglotant pour s'assurer que son parent est toujours là. Quand il commence à disparaître par jeu, l'enfant dit à ses parents qu'il a absolument besoin de règles ; de savoir qu'on veille sur sa sécurité. Observez le regard reconnaissant qu'il lève vers vous quand vous le rattrapez et lui dites d'un ton ferme : « Tu reviens ici avec moi. » Le parent apprend ainsi que la discipline s'impose plus que jamais quand l'enfant découvre ses nouveaux pouvoirs, mais n'est pas entièrement sûr de les utiliser en toute sécurité. L'enfant et le parent mettent en place des schémas de comportement auxquels ils pourront se reporter durant les prochaines années.

Les colères

Il vient un moment où le jeune enfant comprend qu'il peut effectuer ses propres choix. «Je le fais ou non?» Sa décision paraît anodine aux autres, mais lui y attache une telle importance, et se sent si partagé, qu'il se jette par terre et hurle. Ce faisant, il épuise les capacités de tolérance de ses parents et s'effraie lui-même. Ses nouveaux pouvoirs l'angoissent au point que le fait de savoir que ses parents l'aideront à ne pas perdre pied ne lui suffit pas.

L'enfant doit apprendre à se maîtriser. Même si leur présence a pour effet de le déchaîner encore plus, les parents peuvent lui proposer des moyens de se calmer: «Tiens, prends ton doudou», «Je te donne un gant de toilette bien froid pour te le passer sur la figure», «Tu peux écouter ta chanson préférée».

Mieux vaut lui proposer quelque chose qu'il peut utiliser seul: «Voilà ton ours. Il veut te consoler. Il est triste de te voir dans un état pareil. Il a besoin d'un câlin.» Un parent sait calmer un enfant, mais une peluche lui apprend à le faire de lui-même.

Un jeune enfant, toutefois, ne renoncera pas à sa colère tant que les parents resteront à proximité. Sans en avoir conscience, ils lui disent en effet : «Tu ne peux pas te maîtriser tout seul.» En s'éloignant, *sachant que l'enfant ne risque rien*, ils lui disent au contraire : «Tu peux reprendre toi-même le contrôle de la situation.»

Cependant, il est parfois dangereux de laisser seul un jeune enfant – dans un lieu inconnu ou peu fait pour lui, par exemple, ou quand il peut vraiment lui arriver quelque chose. Prenez-le alors sur vos genoux, le dos vers vous, en maintenant ses bras sur ses genoux à lui (le «blocage arrière») – fermement, mais sans lui faire mal, bien sûr. Vous pouvez même placer une jambe au-dessus des siennes s'il donne des coups de pied (la «prise en ciseaux»), en exerçant assez de pression pour l'immobiliser, mais pas plus. Gardez la tête rejetée en arrière en biais s'il essaie de donner des coups de tête. S'il tente de vous mordre dans cette position, immobilisez-lui les bras en l'entourant du vôtre. Puis passez l'autre bras par-dessus son épaule et plaquez votre main sur son front. Vous pouvez poser votre tête contre la sienne, voire la presser doucement contre la vôtre pour l'immobiliser. Surtout n'exercez pas de pression sur son cou. Chuchotez-lui quelque chose à l'oreille. Ou essayez de lui chanter tout bas une de ses chansons préférées.

Cette «prise» doit être solide, ne présenter aucun danger et ne faire aucun mal à l'enfant s'il s'agit de le calmer. Si ces conditions ne peuvent être remplies, et si la nécessité de recourir à cette technique se répète et se prolonge, il est temps de requérir l'aide de votre pédiatre. Immobiliser un enfant pour calmer une colère reste une solution de dernier recours. Mais veillez à prendre souvent votre enfant dans vos bras et à le serrer contre vous pendant des périodes plus paisibles afin que les colères ne deviennent pas pour lui une manière de réclamer un contact physique.

Quand vous devez immobiliser un jeune enfant déchaîné, il est essentiel de rester calme et de ne pas vous énerver, afin qu'il puisse modeler son comportement sur le vôtre. En chantant doucement, en le tenant sur vos genoux et en vous berçant tous deux, vous lui apprenez à se calmer. Mais à condition de vous contrôler vous-même.

Une fois l'orage apaisé, montrez-lui tout ce qu'il a fait pour se calmer : «Tu as écouté ma chanson. Tu t'es détendu. Tu as respiré un grand coup. Tu t'es bercé avec moi.» L'enfant se sentira rassuré – et prêt à renoncer à ses colères – une fois qu'il saura que *lui* a la situation en main. Le but, ici, comme dans n'importe quel type de discipline, est l'autodiscipline.

La deuxième année

«Je le veux TOUT DE SUITE! – Tu n'y touches pas.» Le bambin saisit le fragile presse-papiers en verre. «Tu le remets sur le bureau.» Fasciné par l'objet, l'enfant ne semble pas avoir entendu les mots de son père. Bien inspiré, celui-ci arrive à temps pour extraire l'objet des petits doigts qui l'agrippent. L'enfant se laisse tomber par terre. «Tu n'y touches pas. Il risque de se casser.» Les sanglots redoublent. «Je suis désolé d'être obligé de te l'enlever. Mais quand tu ne peux pas t'empêcher d'y toucher, il faut que je t'aide.»

Après un énorme hoquet, les sanglots s'espacent. «Il pourrait se casser comme un rien. Cela te rendrait triste aussi.» L'enfant lève les yeux vers son père et le regarde à travers ses larmes. «Tu voudrais un câlin?» L'enfant tend les deux bras. Il a oublié le presse-papiers.

Au cours de sa deuxième année, le jeune enfant découvre la notion de causalité. Une chose en provoque une autre. Je lâche le presse-papiers, il se casse. Je grimpe sur la table basse, je tombe et je me fais mal. Tant que cette compréhension n'est pas acquise, le parent doit toujours être là pour pallier le manque de discernement de l'enfant. Même alors, celui-ci aura du mal à retenir son geste et à utiliser ce qu'il sait des causes et des conséquences pour guider sa conduite quand il suit son impulsion. La discipline a pour but d'instaurer ce réflexe, mais il faut du temps.

Le contrôle des impulsions

Le jeune enfant est aux prises avec ses impulsions. Pour lui, le monde n'a de sens que s'il peut le toucher, le goûter et l'escalader. Sa nouvelle capacité d'aller où il veut, à toute vitesse, semble lui inspirer un désir effréné de découverte. Or le monde est rempli de choses dangereuses, qui se cassent, qui brûlent, qui ont un goût infect – bref, qui mettent ses parents dans tous leurs états. C'est seulement à travers ses explorations qu'il apprendra à les connaître. Le jeune enfant ressemble souvent à une fusée filant comme l'éclair vers la catastrophe – mais aussi vers l'occasion de connaître son univers.

Les parents se sentent souvent au bord de l'épuisement. Ils savent qu'ils doivent être là à chaque instant pour servir de «freins» au jeune explorateur. Cet âge exige une discipline de proximité intense, physique. Elle doit s'exprimer par des mots afin que leur sens finisse, à la longue, par être assimilé. Mais les mots seuls ne ralentiront jamais à temps un jeune enfant engagé sur sa lancée.

La discipline à cet âge consiste à inculquer petit à petit à cette boule d'impulsions le contrôle de soi. Il ne s'acquiert pas d'un coup. Les parents de jeunes enfants savent (et ceux d'enfants plus grands ne l'ont sûrement pas oublié) que ces épisodes se répètent inlassablement tous les jours. Les enfants de cet âge ont souvent besoin qu'un parent retienne leur main ou place la sienne sur leur épaule pour empêcher une initiative non souhaitée.

Le père au presse-papiers a vérifié brièvement si l'enfant réagissait aux mots, et s'est vite aperçu qu'ils ne suffisaient pas. S'il avait renouvelé plusieurs fois son injonction, l'enfant aurait de moins en moins compris que son père ne plaisantait pas. Les mots auraient perdu leur pouvoir de se suffire à eux-mêmes, comme ce devrait être de plus en plus souvent le cas au cours de l'année suivante. Dès qu'il a constaté l'insuccès de ses instructions verbales, ce père a agi. S'il s'en était tenu là, il aurait simplement prouvé qu'il contrôlait mieux la situation que son fils. Au lieu de quoi il lui a expliqué pourquoi il devait intervenir. Puis il lui a offert la possibilité de se détendre, avant de l'aider à imaginer ce qu'il aurait ressenti si ce merveilleux objet s'était brisé. Mais, surtout, il lui a donné le sentiment qu'un jour il saurait se contrôler.

La petite enfance est un âge où on se tient par la main au supermarché. Réfléchissez à la capacité de contrôle de ses pulsions que l'enfant a déjà acquise lorsque le parent peut lui lâcher la main et le laisser s'éloigner d'un mètre ou deux! Il contemple d'un air rêveur les petits gâteaux recouverts d'un glaçage rose, si tentants, sur le rayonnage du bas. «Viens voir, j'ai besoin de toi pour choisir les céréales que tu aimes.» L'enfant, déjà prêt à accourir, est capable de réprimer l'impulsion qui l'incite à s'emparer du sachet de gâteaux, d'étudier la requête du parent, de revenir sur sa première idée, et d'aller se pencher sur le problème des céréales. Une prouesse, si l'on y réfléchit! Et qui représente une somme considérable de travail – de la part de l'enfant comme du parent!

Tous les parents gardent le souvenir des mois précédents – l'enfant sur le siège du caddie se penchant au risque de choir, ou sur ses pieds, luttant pour échapper à la main de son père. Il a attrapé les paquets de gâteaux, les a sortis du rayonnage, puis remis en place dans un concert de pleurs et de protestations. Renoncer à ses impulsions représente un supplice pour un jeune enfant. Pour le parent, lui donner l'espoir de les maîtriser un jour, voire le convaincre qu'il vaut la peine de renoncer à tous ces désirs irrésistibles, tient tout bonnement de l'exploit.

Comment apprendre à un jeune enfant à contrôler ses impulsions

1. Assurez-vous d'abord que l'enfant vous accorde de l'attention. Au besoin, posez fermement vos mains autour de son visage ou sur ses épaules. Regardez-le dans les yeux pour être sûr(e) qu'il se concentre sur votre message.

2. Faites-lui bien comprendre qu'on ne peut pas suivre son impulsion. «Non, tu ne peux pas le prendre.» Ou, si vous arrivez trop tard : «Remets-le à sa place.»

---

3. Au besoin, empêchez-le concrète-
ment d'avoir le comportement que vous
avez interdit. (Rangez le jouet, retirez-le de
l'endroit litigieux, etc.)

4. Lorsque c'est possible, proposez-lui
une solution de remplacement : «Tu peux
prendre ceci à la place.» C'est une façon
de lui apprendre à résoudre un problème.

5. Faites-lui comprendre que c'est «à
prendre ou à laisser», non négociable.
Votre proposition lui montre que votre
objectif n'est pas de le rendre malheureux.

6. Ne cédez pas.

7. Compatissez à sa frustration ou à sa
déception : «C'est terrible de ne pas avoir
ce qu'on veut, n'est-ce pas?» Vous n'essayez pas de lui apprendre à renoncer à
tous ses désirs ou rêves, mais simplement
à maîtriser ceux qu'il ne peut réaliser.
Vous n'essayez pas de lui apprendre à
aimer toutes les règles, juste à gérer les
émotions négatives qu'elles suscitent en
lui afin de les empêcher de le submerger.

8. Aidez-le à comprendre pourquoi –
avec des mots simples – son désir ne peut
se réaliser.

9. Si, toutefois, vous avez le sentiment
d'avoir vraiment commis une «erreur»,
profitez-en pour lui montrer qu'il est
important de reconnaître qu'on s'est

trompé et de s'en excuser. Si vous le faites sans lui déléguer votre autorité, vous vous sentirez tous deux soulagés.

10. Réconfortez-le, et dites-lui que vous le savez capable d'apprendre, petit à petit, à se contrôler. Prenez-le dans vos bras et serrez-le fort contre vous.

11. Cherchez les occasions d'aider l'enfant à sauver la face. S'il est humilié, il essaiera de toutes ses forces – et en cachette – de justifier son comportement au lieu de le changer.

12. Quand une journée s'est passée à dire «non», trouvez l'occasion de dire «oui». Cela aidera l'enfant à voir que la discipline est un acte d'amour, non une réponse à quelque chose de «mauvais» en lui. Mais ne cédez pas pour autant. Revenir sur sa position va presque toujours à l'encontre du but recherché.

13. Le comportement de votre enfant n'est pas dirigé contre vous, en particulier quand il essaie de voir jusqu'où il peut aller. Si vous y voyez une attaque personnelle, vous réagirez par une attaque. Cherchez plutôt ce qu'il veut savoir en se comportant ainsi afin de pouvoir lui apprendre ce dont il a besoin.

14. Partagez la responsabilité de l'apprentissage de la discipline avec les autres adultes qui font partie de sa vie.

L'autodiscipline signifie qu'un enfant peut se contrôler, mais aussi qu'il est motivé à le faire non pour satisfaire les autres, mais parce que *lui* y attache de l'importance. L'enfant qui a appris à s'autodiscipliner devient alors capable de mettre en regard ses besoins et ceux des autres. Vous posez les bases d'un apprentissage qui se précisera au cours des années suivantes.

La discipline et le développement émotionnel de l'enfant

Comprendre les émotions

Avant de comprendre les émotions des autres assez clairement pour les respecter, un enfant doit comprendre les siennes. Depuis sa venue au monde, il observe le visage des personnes qui prennent soin de lui et écoute leur voix tout en éprouvant des sensations. Un visage connu, une expression familière, une voix douce qui réagissent à son regard, à son étreinte, le calment et le réconfortent.

L'apprentissage des émotions débute peu après la naissance. Un nourrisson de quatre mois regarde ses parents avec un intérêt si intense qu'il s'attire aussitôt une réaction. Mais il commence seulement à explorer son rôle dans les émotions des autres. Quand il se met en colère et s'aperçoit soudain qu'il a fâché son parent, son expression, son brusque repli alors qu'il détourne la tête traduisent son étonnement. Dans moins de six mois, il identifiera plusieurs émotions sur le visage de la personne qui s'occupe de lui – la joie, la tristesse, la peur, l'étonnement, la contrariété, l'intérêt –, et saura lui aussi les exprimer.

À neuf mois, un bébé s'attend à trouver des informations sur n'importe quelle situation dans les expressions de ceux qui l'entourent. Déjà, nous l'avons vu, il les «déchiffre» pour découvrir ce qu'elles lui révèlent de son univers. Il apprend maintenant que ces personnes comptent pour lui : il commence à s'en soucier assez pour vouloir leur plaire et se contrôler.

Sa relation d'amour à l'autre constitue le plus puissant moteur de son apprentissage. L'enfant apprend à se préoccuper de ce qui est bien ou mal d'abord pour plaire à un parent. Si la discipline est un enseignement, alors toute mesure de cet ordre doit prendre en considération la motivation émotionnelle qui sous-tend les apprentissages. Une sanction qui donne à l'enfant le sentiment d'être abandonné, ou le désespère de contenter un jour un parent· le prive de la motivation émotionnelle qui le conduit à apprendre de ses erreurs.

À deux, trois ans, l'enfant est monopolisé par des émotions conflictuelles et des désirs inaccessibles. Il tente désespérément d'identifier ce qui se passe en lui et de lui donner un nom.

Quand il s'écrie : «JE SUIS EN COLÈRE!», « JE TE DÉTESTE!», «JE NE VEUX PAS QUE TU PARTES!», ou exprime d'autres sentiments forts, il réalise une extraordinaire performance. En quelques années seulement, il a appris à ressentir des émotions, à les identifier en lui et chez les autres, et à se servir du langage pour les nommer! Toutes ces étapes sont nécessaires afin qu'il apprenne à les contrôler.

Pour ne pas laisser ses émotions le submerger, s'insinuer en lui et le prendre au dépourvu, ou encore le déborder et déstabiliser son comportement, un enfant doit être capable de :

• ressentir ses émotions comme des sensations spécifiques;

• noter ce qui les déclenche;

• identifier les émotions qui se déclenchent habituellement en premier, et le moment où elles s'enflamment;

• apprendre ce qu'il peut faire pour retrouver son calme;

• connaître le type d'aide que les autres peuvent lui apporter et la leur demander;

• comprendre progressivement ce que ses émotions signifient, apprendre à les respecter et à leur attacher du prix.

Les émotions intenses

L'intensité de ses émotions effraie un enfant et exaspère souvent ses parents. Mais il a maintenant plus besoin que jamais de la discipline de ces derniers pour le sécuriser – pour lui assurer que ce bouillonnement intérieur ne le met pas en danger, qu'ils vont l'aider à contenir ces émotions qui le dépassent. Ce faisant, l'enfant attire ses parents dans toute cette effervescence. Mais il a besoin de prendre modèle sur leur façon de se calmer, de cerner les problèmes et de les régler.

Comment aider un enfant à exprimer et à contrôler ses émotions

Un parent peut aider l'enfant à :

• se sentir assez en sécurité pour accepter ses émotions («Je t'aiderai à te

---

61

contrôler jusqu'à ce que tu sois capable de le faire toi-même») ;

• faire la distinction entre ses diverses émotions («Quelquefois on se sent méchant quand on est effrayé»);

• faire le rapprochement entre des émotions et des situations particulières («Tu te sens fier d'avoir rangé tous tes jouets, n'est-ce pas?») ;

• remarquer et nommer les émotions («J'ai très peur dans le noir»);

• identifier et devancer les «déclencheurs» («Je déteste aller me coucher»);

• trouver des façons de calmer ou d'exprimer ses émotions («J'ai besoin de lire des histoires avant d'aller me coucher», «Je vais dessiner le monstre qui me fait peur le soir»);

• demander qu'on l'aide à gérer ses émotions quand il en a besoin («S'il te plaît, assieds-toi sur mon lit et chante-moi notre chanson avant de t'en aller») ;

• accepter les émotions et y attacher du prix : elles font partie de la personne qu'il est. (Le parent peut dire : «Tu t'amuses tellement toute la journée! C'est normal de détester arrêter le soir», «Nous nous aimons tant, tous les deux. Évidemment, nous détestons aller au lit et attendre toute la nuit avant de nous revoir le matin!».)

Mal se comporter représente souvent la première tentative d'un enfant pour canaliser ses émotions intenses. Pour les gérer autrement, il a besoin de discipline – et de se modeler sur l'autodiscipline de son parent; il a besoin de son aide pour apprendre ce qu'elles sont et comment les vivre sans perdre pied.

La compréhension naissante de ses émotions lui est nécessaire pour commencer à voir qu'elles existent chez les autres.

Reconnaître les émotions des autres

Au cours de sa troisième année, l'enfant fait une découverte surprenante. Il y a longtemps qu'il pense. Or voilà qu'il peut penser à ses pensées. Quelques jeunes enfants disent : « J'y ai pensé hier », ou même : « J'ai oublié ce que j'allais dire. » Mais certains bambins de deux ou trois ans peuvent commencer à réfléchir à leurs pensées, à leurs souvenirs, à leurs émotions, à ce qu'ils croient et à ce qui les intéresse, et bientôt aux pensées et aux émotions d'autres personnes : « Ce bébé pleure parce qu'il voudrait sa maman. » Cette nouvelle compétence semble souvent aller de soi. Or, sans elle, l'enfant n'a pas la maturité voulue pour apprendre à mettre en place un comportement qui prenne en considération les émotions des autres.

La discipline l'incite à utiliser ce nouvel atout et à anticiper les conséquences de son comportement. Par exemple, un enfant de trois ans qui arrache un jouet à son petit frère et le fait pleurer peut hurler : «Il est à MOI et tu n'as pas le droit de jouer avec!» Toutefois, quand son père lui dit d'un ton sévère : «Tu crois que ton petit frère va vouloir jouer de nouveau avec toi si tu le traites de cette façon?», il lève vers lui un regard penaud, mais inquisiteur. Quand le père continue en disant : «Tu sais, si tu lui avais donné un autre jouet au lieu de juste lui enlever celui-là, il n'aurait pas été si en colère», l'enfant se sent disposé à penser aux sentiments des autres personnes, même à ceux de son petit frère. Un parent ne doit pas se contenter de montrer à l'enfant ce qu'il a fait d'incorrect, mais lui proposer aussi des solutions positives.

L'empathie : se mettre à la place des autres

La capacité à comprendre les sentiments et les émotions d'autrui et à les éprouver soi-même assez profondément pour s'en préoccuper prend racine dans la toute petite enfance, même si elle se développe pendant le reste de la vie. Certains adultes n'acquièrent jamais pleinement, hélas, cette compétence. Or le comportement d'un individu ne dépend pas, en définitive, d'une discipline appliquée de l'extérieur (sauf entre les murs d'une prison), mais de la discipline qu'il s'impose lui-même. Et l'auto-discipline est guidée à son tour par la conscience qu'a un individu des émotions et des besoins des autres, et de l'attention qu'il y porte.

Les cas, nombreux, où la discipline s'avère nécessaire offrent l'occasion d'apprendre à l'enfant à comprendre les émotions des autres et à en tenir compte. La vue d'un autre enfant dans un fauteuil roulant angoisse un petit de quatre ans. «Tu as vu le garçon! Il n'a qu'une jambe!» s'écrie-t-il. Gênée et alarmée, sa mère le prend par les épaules et le regarde droit dans les yeux : «Tu crois que c'est agréable d'avoir perdu une jambe et qu'ensuite les gens te montrent du doigt?»

Le bambin éclate brusquement en sanglots. Il a pris le temps d'éprouver les émotions de l'autre enfant. Sa mère met ses bras autour de lui et lui dit : «C'est très triste d'imaginer ce qu'on peut ressentir dans un cas pareil, et c'est terrible de penser que cela peut arriver à n'importe qui. » Lorsque les circonstances s'y prêtent, le parent peut transformer la réaction critique de l'enfant en attitude compatissante, lui enseigner à prendre le temps de se mettre à la place de l'autre et de réfléchir à ce qu'il éprouve. Mais c'est parfois douloureux. La cruauté d'un enfant masque souvent son sentiment de vulnérabilité. Sans le soutien d'un parent, affronter ses émotions peut lui être trop pénible, et il s'en protégera par des comportements négatifs, comme la moquerie.

Le développement moral

En apprenant la discipline à leur enfant, les parents guident son développement moral. Désormais capable de comprendre le point de vue des autres personnes, l'enfant constate que les règles tiennent compte des besoins de chacun et pas seulement des siens. Lorsqu'il verra qu'il est important de traiter les autres comme lui-même veut l'être, il apprendra à faire des sacrifices pour eux. Mais il n'y parviendra que par l'autodiscipline.

Avant d'être prêt à utiliser sa conscience des émotions d'autrui pour orienter son comportement, l'enfant se guide sur d'autres conséquences de sa conduite. Si on lui demande pourquoi il n'irait pas voler un jouet, un enfant de quatre, cinq ans répondra certainement : «Le policier me mettrait en prison.» Toutefois, le parent veut lui apprendre à bien se conduire qu'on l'observe ou non (l'heure approche où il n'y aura très souvent plus personne pour le faire!).

Comment cette transition remarquable va-t-elle s'opérer? Quand ils assurent à l'enfant qu'il devra assumer les conséquences de sa mauvaise conduite, les parents sont placés devant un choix. Soit ils présentent ces conséquences sous un jour qui affirme leur pouvoir sur lui – «Parce que j'ai dit non», par exemple. Soit ils appliquent leur «loi» d'une manière attestant qu'elle est juste et sert les intérêts de tout le monde : «Tu sais très bien que tu seras obligé de rendre ce jouet. Tu n'aimerais pas qu'on prenne tes affaires sans te le demander, n'est-ce pas?»

En apprenant à leur enfant à obéir aux règles parce qu'elles sont justes, et non parce qu'ils sont plus puissants que lui, les parents préparent leur enfant à être plus tard respectueux des lois, lorsque eux-mêmes n'auront plus toujours le dernier mot.

Observez le regard intéressé qu'un enfant de quatre ans pose sur le tricycle d'un de ses pairs au parc. Incapable de se retenir, il tend la main pour saisir le siège. Mais à peine l'a-t-il fait qu'il se fige, regarde le propriétaire du tricycle dans les yeux et bat en retraite. Notre bambin apprend à penser aux autres et à se dominer. Soit qu'il recherche l'amitié de cet enfant, soit qu'il veuille éviter les réprimandes paternelles. Au cours des prochaines années, toutefois, il apprendra à voir que son comportement envers les autres peut prendre en considération leurs besoins et émotions simplement parce qu'ils sont importants.

Au début, les parents ne sont pas forcément sûrs des règles sur lesquelles ils ne céderont pas. Cette incertitude se répercute sur l'enfant. Lorsque, avec le temps, les parents précisent ces règles, l'enfant a besoin de les tester. S'ils réagissent de manière incohérente, les parents contribueront à instaurer la confusion dans son esprit. Mais s'ils s'y tiennent, l'enfant apprendra qu'elles ne changeront pas au gré de ce que lui ou ses parents ressentent ou désirent à un moment donné. Leur persistance lui prouvera qu'elles sont importantes en soi.

Bien qu'il s'agisse d'une entreprise de plus longue haleine, le but des parents est d'aider les enfants à utiliser leur capacité d'empathie grandissante pour «bien se comporter» sans y être incités par une autre motivation, même quand les adultes ne sont pas là pour les punir dans le cas contraire. Nous devons aider nos enfants à trouver en eux la motivation de se conformer dans leur comportement à un code moral commun. Tôt ou tard, ils seront trop grands pour que nous soyons toujours là, prêts à leur fournir des règles de discipline lorsque leur détermination vacillera. À ce moment-là, nous devrons être sûrs qu'ils ont assimilé les valeurs que nous leur avons proposées.

L'estime de soi

Pour se soucier des autres, l'enfant doit apprendre à s'aimer lui-même. En aimant le nourrisson et en lui donnant l'occasion d'apprécier la personne qu'il est, le parent le prépare à l'empathie. Le sentiment que l'enfant a de sa propre valeur se voit renforcé lorsqu'il freine ses impulsions pour son propre bien et celui d'autrui. Un enfant qui ne s'aime pas ne sera guère incité à s'intéresser aux autres et à ce qui leur arrive.

Bien entendu, l'amour est indispensable à l'estime de soi de l'enfant dès le tout début. Tout comme le sont les occasions de réussite et l'attention portée au développement de ses compétences (en particulier à partir de l'école maternelle), qui l'aideront à construire une image positive de lui-même. Le rôle de la discipline paraît moins évident. Or un enfant ne s'aime pas quand il ne se contrôle pas. Si ses parents ne lui imposent aucune discipline, il se demande s'ils croient qu'il n'en vaut pas la peine. Ou s'ils tiennent assez à lui pour affronter sa colère et sa frustration quand ils lui fixent des limites. La permanence de l'estime de soi – face aux triomphes, mais aussi aux échecs – se voit remise en question tout au long de la vie. Cet apprentissage débute tôt.

Des exigences excessives, même venant de parents aimants, peuvent démolir l'estime de soi de l'enfant le plus compétent. Il aura le sentiment d'être «nul», d'être incapable de répondre aux attentes déraisonnables de ses parents. Il peut même les reprendre à son compte. Lorsqu'il ne se sent pas en mesure d'être à la hauteur de ces attentes – celles de ses parents ou les siennes propres –, la discipline lui apparaît comme une critique.

Des exigences excessives font le lit de l'échec. Y ajouter la discipline – sous la forme de reproches ou simplement en n'exprimant pas son approbation – met forcément en danger l'estime de soi de l'enfant. Il exprimera ses protestations en se comportant mal, dans une tentative pour se protéger qui ne peut qu'échouer. Lorsque son refus intense et répété de faire ce qu'on attend de lui conduit le parent au bord de l'exaspération, il est temps pour celui-ci de prendre du recul, de se demander si l'enfant est vraiment prêt, et de réajuster ses attentes.

«Je te répète tous les jours de ramasser tes vêtements et de les ranger mais tu ne le fais JAMAIS! Tu veux devenir un bon à rien plus tard?» criait une mère en colère à son marmot de cinq ans. Un enfant de cet âge a besoin qu'on lui rappelle quotidiennement ce genre de corvées, comme de se laver la figure ou de se brosser les dents. C'est certes fastidieux pour les parents, mais on ne peut pas attendre de lui qu'il soit assez organisé pour accomplir ces tâches de lui-même. Ce n'est qu'à force de se l'entendre répéter qu'il apprendra à y penser. Entre-temps, l'accabler de reproches risque surtout de l'inciter à se rebeller contre les rappels à l'ordre.

Un enfant qui accepte de gentils rappels à l'ordre, ou n'émet qu'une faible protestation quand ils lui sont formulés, finira par les enregistrer et les assimiler. Un enfant qui proteste avec véhémence laisse entendre qu'il n'est pas encore prêt pour ce qu'on attend de lui, ou que les rappels à l'ordre ressemblent plus à une injure qu'à une aide. Certains enfants transformeront même leur étourderie en protestations de bonne volonté afin d'écarter les critiques, disant : « Je n'ai pas oublié. Je ne l'ai pas fait EXPRÈS », afin de se sentir à nouveau maîtres de la situation.

Les enfants souffrant de problèmes qui affectent l'apprentissage ou la sociabilité – par exemple, des difficultés d'assimilation ou un déficit d'attention dû à leur hyperactivité, surtout lorsqu'elle n'est pas diagnostiquée – risquent tout particulièrement de se sentir atteints dans leur estime de soi. Si l'apprentissage de la discipline se traduit par des critiques sévères, ils protesteront en se conduisant « mal ».

Les éloges excessifs peuvent avoir, eux aussi, des répercussions négatives sur l'estime de soi. Il est difficile de se montrer à la hauteur de tels compliments, difficile de les prendre au sérieux. Certains enfants ont besoin de faire preuve d'insubordination afin de tester des louanges trop exagérées pour être vraies, ou d'inciter leurs parents à y renoncer et à les accepter tels qu'ils sont vraiment.

Les dégâts annoncés des étiquettes négatives

Les enfants qui ont du mal à contrôler leur impulsion à frapper, à mordre ou à jeter des objets doivent apprendre à mesurer les effets de leurs actes sur les autres. Lorsqu'ils usent de critiques personnelles sévères, les adultes leur inculquent l'idée qu'ils sont vraiment «mauvais». Ces étiquettes peuvent devenir la façon dont l'enfant se voit, et se transformer en prophétie autoréalisatrice. Mettez plutôt vos bras autour de l'enfant qui a attaqué. Il faut, naturellement, lui dire que son comportement n'est pas acceptable et qu'il doit en assumer les conséquences. Sinon, l'enfant restera terrifié d'avoir perdu le contrôle de lui-même. Il continuera à frapper ou à mordre jusqu'au moment où il saura qu'il peut compter sur un adulte pour l'arrêter. Mais vous devez aussi lui montrer que vous l'aimez et que vous lui faites confiance. L'enfant doit apprendre à croire qu'il est foncièrement bon et qu'il parviendra à se dominer.

Les défenses :
la difficulté d'assumer la réalité

Pour comprendre ce que lui apprend un parent sur ses erreurs, l'enfant doit être en mesure d'affronter sa faiblesse. Il est dur pour les adultes d'admettre leurs défaillances, et encore plus pour les jeunes enfants. L'idée qu'ils se font d'eux-mêmes et de leur valeur personnelle s'ébauche à peine. Quand ils ont l'âge de comprendre qu'ils sont plus petits, moins expérimentés, moins avertis et moins compétents dans tant de domaines, les reproches d'un parent deviennent parfois encore plus redoutables.

Un enfant qui croit en lui ose regarder ses erreurs en face. Il doit apprendre, petit à petit, à les accepter, et éprouver un sentiment de satisfaction quand il les corrige. Les éloges et le renforcement positif ont leur utilité, mais doivent l'amener à éprouver *de lui-même* un sentiment de fierté et de satisfaction. S'il dépend trop des félicitations d'un parent, il se sentira en danger et sur la défensive quand cet éloge lui manquera ou lui sera refusé. Avec le temps, le parent doit remplacer «Je suis fier de toi» par «Tu es fier de toi, n'est-ce pas?».

L'enfant est moins armé qu'un adulte pour se protéger des émotions perturbantes. Confronté à des sentiments qui le déstabilisent (colère, sentiment de rejet, peur, culpabilité, entre autres), il s'en défend souvent en déformant la réalité de manière flagrante : «JE N'AI PAS VOLÉ CE BONBON.» Vous, naturellement, vous savez à quoi vous en tenir.

Quand nous mettons l'enfant face à son acte répréhensible, nous lui demandons de voir ses défauts et ses limites. Si, en lui montrant ce qui n'est pas «bien», nous remettons en question sa confiance en lui et en sa propre valeur encore fragile, il va la mettre à l'abri – en niant sa culpabilité, en mentant ou en n'écoutant que d'une oreille.

Afin de se protéger de la réaction de leurs parents et de leur propre mauvaise conscience, les enfants plus âgés invoquent souvent la notion d'intention pour justifier leur «inconduite». «Je ne voulais pas le faire. Mais quand j'ai laissé tomber le bonbon par terre, j'ai pensé qu'il valait mieux le manger, comme ça personne d'autre ne le ferait.» Souvent il est préférable de ne pas se laisser attirer dans ce genre d'arguties : «L'important n'est pas que tu aies voulu le faire ou non. Le bonbon de ton petit frère a atterri dans ton estomac, que tu en aies eu l'intention ou non. De toute façon, tu vas devoir prendre de l'argent dans ta tirelire pour le remplacer.» Lui offrir la possibilité de réparer son acte et d'être pardonné est essentiel pour l'aider à l'assumer et à en accepter les conséquences avec soulagement.

De la discipline à l'autodiscipline

Le but de la discipline inculquée par les parents est d'aider l'enfant à compter sur sa propre motivation – pour contrôler ses impulsions, pour gérer ses émotions, pour respecter les besoins, émotions et droits des autres, et pour le plaisir de «bien se comporter». À mesure que l'enfant grandit, les parents peuvent lui laisser plus de latitude afin de lui permettre d'identifier lui-même ce qu'il a fait de répréhensible, les conséquences de ses actes et la façon de les réparer. Le processus commence quand ils remarquent l'expression de soulagement et de reconnaissance de l'enfant qui vient de subir une réprimande. Il comprend maintenant qu'il en avait besoin et va bientôt apprendre à s'autodiscipliner.

Comment instaurer
le sens de l'autodiscipline
à partir des écarts de conduite

1. Observez le comportement non verbal de votre enfant pour voir s'il regrette vraiment son acte.

2. S'il sait qu'il a fait quelque chose de mal et se sent coupable, l'apprentissage est déjà commencé.

3. Les sentiments de culpabilité trop durs à supporter risquent de susciter chez l'enfant une réaction de déni. Ne le poussez pas dans ses retranchements, l'empêchant ainsi de reconnaître ce qu'il a fait. Insistez sur le courage qu'il faut pour assumer ses erreurs : «Je vois que tu es très contrarié par ce que tu as fait. Tu sais, je ne veux pas que tu te sentes encore plus malheureux.» Cette réaction l'étonnera, et il sera alors prêt à vous écouter.

4. Au besoin, vérifiez qu'il comprend ce qu'il a fait en lui demandant de vous le raconter. Ses mots à lui ont infiniment plus de valeur que les vôtres, et vous pourrez rectifier tout malentendu de sa part.

5. Choisissez, si possible avec l'autre parent, une conséquence étroitement liée à l'acte et qui permette à l'enfant de le réparer : «Je vais devoir prendre sur ton

argent de poche jusqu'à ce que tu en aies mis assez de côté pour en racheter un autre à Alex», «Tu vas lui faire un beau dessin pour lui dire que tu regrettes beaucoup».

6. Assurez-vous qu'il comprend l'importance des excuses et des réparations, et qu'il se sent pardonné : «Tu as besoin d'un câlin?»

Guettez – en particulier en pleine crise – les occasions de laisser l'enfant examiner et gérer son comportement avec plus d'indépendance. Remplacez «Tu n'aurais pas dû faire cela» par «Te rends-tu compte de ce que tu as fait?». Ou «Tu lui as fait de la peine» par «Comprends-tu ce que tu lui as fait?». Ou encore «Tu vas aller t'excuser» par «Que pourrais-tu faire, à ton avis, pour le consoler?». Ces différences subtiles lui indiquent que vous comptez sur lui, et qu'il peut compter sur lui-même, pour réparer ses bêtises. Vous ne l'abandonnez pas, mais vous lui faites savoir que vous attachez du prix à ses nouvelles capacités.

Un enfant a besoin de savoir – et de savoir que ses parents savent – que commettre des erreurs est humain. Qu'ils peuvent comprendre son erreur et la lui pardonner, même s'il doit en payer le prix.

En réalité, ce prix lui assure qu'il peut être pardonné. Les erreurs sont une composante nécessaire de l'apprentissage, non l'expression de la valeur personnelle et fondamentale de l'individu. La capacité d'un enfant à croire dans ses progrès doit être étayée par la foi que ses parents mettent en lui.

2.

SOUS QUEL ANGLE
ABORDER LA DISCIPLINE

Lorsqu'on s'interroge sur la façon d'éduquer un enfant, deux considérations d'ordre général s'imposent. D'abord, les parents doivent avoir conscience de l'influence de leur propre histoire. Ensuite, le tempérament de l'enfant détermine leur angle d'approche. Après avoir examiné ces deux points, nous montrerons les avantages et les inconvénients des diverses méthodes.

Les souvenirs des parents

Les jeunes parents gardent souvent le souvenir des méthodes d'éducation que leurs propres parents ont employées avec eux. Beaucoup disent : «Je ne veux surtout pas les imiter.» Ils tiennent à découvrir une façon à eux de discipliner leur enfant. Mais la discipline est une composante si puissante de notre passé que, lorsque nous devenons parents à notre tour, nous sommes voués à revenir aux modèles de notre enfance, ou alors à en prendre l'exact contre-pied.

Les moments où nos enfants nous rappellent à la nécessité de sévir sont rarement sereins ou propices à la réflexion. Une colère chez l'épicier ou sur la banquette arrière de la voiture à l'heure de pointe, l'enfant de quelqu'un d'autre en larmes arborant sur son cou les traces des ongles de notre cher petit, voilà qui n'inspire guère de réactions mûrement réfléchies. Nous nous rabattons alors sur ce que nous avons sous la main : les tactiques qui ont présidé à notre éducation et dont nous gardons l'empreinte indélébile. Ce n'est malheureusement un secret pour personne que les adultes qui ont été maltraités dans leur enfance se montrent plus enclins que les autres à maltraiter plus tard leurs propres enfants. Mais nous nous référons tous, que ce soit en période de crise ou non, à la manière dont nous avons été élevés pour trouver notre formule personnelle.

Certains parents se sentent heureux et fiers d'être capables de reproduire les traditions familiales en matière de discipline.

D'autres, en revanche, constatent avec dépit que leurs réactions démentent leur désir d'être des parents différents. Chez certains, ce retour déconcertant aux modes de leur passé aggrave la frustration suscitée par le comportement de leur enfant. S'y ajoutent les inquiétudes immédiates que celui-ci déclenche. Leur enfant est-il en sécurité ? Va-t-il se faire mal ? Apprendra-t-il un jour à se contrôler ou à faire la différence entre ce qui est bien et ce qui est mal ? Que laisse présager de l'avenir un tel comportement ? On voit sans peine pourquoi il est si difficile de trouver, à chaud, une réponse qui désamorce la crise tout en servant les buts à long terme de la discipline.

Adapter la discipline aux différences de tempérament

Chaque enfant a un tempérament qui lui appartient en propre, et cela dès le tout début de sa vie. Le type de discipline auquel il réagit et les moments où il devra être appliqué doivent, dans une certaine mesure, en tenir compte. On relève trois ensembles de caractéristiques qui varient chez chaque enfant et se répercutent sur sa façon d'aborder son univers. En même temps que ses rythmes individuels de sommeil, de faim et autres fonctions corporelles, elles définissent son tempérament.

• Sa façon d'aborder une tâche – durée d'attention et de persévérance, capacité de concentration et niveau d'activité.
• Son comportement avec autrui – décidé, timide, souple, rigide.
• Ses réactions à ce qu'il voit et entend, à ce qui se passe autour de lui, etc. – type d'humeurs et intensité des réactions.

Le tempérament de l'enfant influe sur ce qu'il peut accomplir facilement et sur ce qui lui pose problème.

• *Les enfants très actifs* ont plus de difficultés à s'interrompre, et ont plus souvent besoin de l'intervention concrète des parents.
• *Les enfants «lents à s'échauffer»* battent en retraite, voire opposent une résistance passive, quand on les pousse à essayer quelque chose de nouveau. Ils ont besoin de plus d'encouragements, d'un temps de préparation plus long, et que les parents «fractionnent» toute nouvelle exigence en demandes plus simples.

• *Les enfants très sensibles*, en prise avec leur entourage, se sentent responsables de choses qui ne sont pas de leur âge et terriblement coupables au moindre reproche.

• *Les enfants à faible capacité d'attention* ont du mal à mémoriser une série de directives et ont besoin de procéder par étapes, exécutant une instruction avant d'être prêts à enregistrer la suivante.

• *Les enfants se signalant par leur hypersensibilité sensorielle* sont submergés par ce qu'ils voient, entendent, touchent. Ils ont besoin de se fermer à l'afflux de sensations visuelles ou auditives et n'assimilent pas, de ce fait, la demande d'un parent.

Comprendre le tempérament de votre enfant vous aidera à définir au mieux vos méthodes d'éducation. Une discipline adaptée à sa personnalité est le meilleur moyen de lui apprendre à gérer, de lui-même, son comportement.

Le tempérament de l'enfant retentit aussi sur ses rapports avec ses parents. Stella Chess et Alexander Thomas parlent de «qualité d'ajustement» pour décrire l'harmonie qui existe entre les tempéraments du parent et de l'enfant. Les conflits d'autorité ne manquent pas de surgir en cas de trop grandes divergences, ou quand les parents souhaitent modifier le tempérament de leur enfant. Ce qui n'est pas en leur pouvoir, bien sûr. Mieux vaut l'accepter et apprendre à en tirer parti. Ces conflits apparaissent aussi quand le parent et l'enfant se ressemblent trop. Les parents doivent apprendre à s'accepter, *eux*, quand ils se retrouvent dans leur enfant.

L'influence du modèle parental

Quelle que soit votre réaction face à ses comportements répréhensibles, vous offrez à votre enfant un modèle. Ma fille m'a raconté qu'un jour mon petit-fils de six ans lui demanda obstinément, arguments à l'appui, de l'autoriser à regarder «encore» une émission à la télévision. Non moins déterminée que lui, elle s'en tint à sa décision, tout en commençant à s'énerver. Quand elle se mit à crier et à taper du pied, l'enfant la regarda et dit : «Tu sais, on se sentira beaucoup mieux tous les deux une fois que tu te seras calmée.» Dans ce genre de situations, les parents ont besoin de marquer une pause avant d'affronter leur rejeton.

Pourquoi ne pas faire savoir à l'enfant que vous êtes fortement contrarié(e), et lui indiquer la façon dont vous envisagez de régler votre irritation? «Je suis si énervé(e) que je dois d'abord me calmer, et ensuite réfléchir à la sanction que tu mérites.» Il saura tout de suite que vous ne plaisantez pas.

Votre enfant imitera aussi la façon dont vous identifiez et gérez vos émotions. Il doit avoir la certitude que son comportement lui vaudra une sanction «juste», qui ne sera pas indûment influencée par votre irritation. Mais il doit voir aussi que son comportement vous a affecté(e), afin d'en tirer une leçon. L'enfant qui a mis son parent en colère a besoin d'apprendre que ses actes ont des conséquences, en l'occurrence une sanction. C'est l'occasion ou jamais de lui apprendre que les parents établissent des règles justes, sans le faire sous le coup de la colère même quand ils sont furieux.

L'explosion de colère d'un parent risque de trop effrayer l'enfant pour lui apprendre quoi que ce soit. Une réaction trop culpabilisante lui faisant croire qu'il l'a gravement blessé mobilise plus son attention sur la nécessité de le sauver que sur la compréhension de ce qu'il a fait de répréhensible. Mais en lui exprimant avec modération et sans ambiguïté l'émotion qu'il a suscitée en lui – colère, douleur, frustration, peur –, le parent l'aide à prendre conscience du retentissement de ses actes et des sentiments intérieurs d'autrui.

J'ai observé les Indiens Mayas du sud du Mexique et l'importance qu'ils attachent à l'imitation comme mode d'éducation. Leurs enfants calquent volontiers leur comportement sur celui de leurs parents. Quand j'ai voulu engager la conversation avec une mère, son petit garçon m'a dévisagé avec des yeux brillants de curiosité, interrogateurs. La mère m'a répondu brièvement, à voix basse, puis a détourné son regard, me faisant clairement comprendre qu'elle ne souhaitait pas bavarder avec un étranger. Sans une seconde d'hésitation, l'enfant a alors abaissé les paupières et détourné la tête, assimilant aussitôt le message non verbal de sa mère sur la façon de se comporter avec des inconnus et lui obéissant. La manière dont un parent gère ses sentiments peut aussi servir de modèle à l'enfant pour répondre aux siens.

Certains parents savent qu'ils «crient» et le regrettent. D'autres croient préparer ainsi leur enfant à un monde où personne ne sera là pour le choyer. Pourtant, la majorité d'entre eux refusent de payer le prix de ces cris sur leurs jeunes enfants. Inutile de s'étonner si, dix ans plus tard, ces enfants leur répondent exactement sur le même ton. Pis, les parents reconnaîtront la voix de leur propre parent (celui qui criait) dans les récriminations bruyantes de leurs adolescents. Curieusement, les enfants cessent beaucoup plus vite de faire ce que leurs parents leur reprochent pour les écouter quand ceux-ci baissent soudain la voix et parlent dans un chuchotement!

Le coût de l'humiliation

Mon grand-père rapporta un jour de Chine une poupée ancienne en porcelaine pour ses enfants. Le cou et les épaules étaient très abîmés. Quand les enfants n'étaient pas sages, à en croire mon grand-père, les parents frappaient la tête de la poupée, montée sur un ressort. Le malheureux exutoire, exposé bien en vue à la maison, devint le symbole de la «mauvaise conduite» inoubliable de ses propriétaires.

La honte est-elle un ingrédient nécessaire de la discipline? Elle peut amener un enfant à croire qu'il est vraiment «méchant» et à se comporter en conséquence, ou encore à cacher sa «méchanceté». Parfois elle met fin à un «mauvais» comportement – momentanément. Mais se plier aux injonctions pour éviter d'avoir honte revient à simplement reporter le comportement incriminé à plus tard, une fois que la voie est libre. Un parent qui fait honte à un enfant lui inculque : «Ne te fais pas prendre.» La révélation «en public» de ses actes répréhensibles concentre son attention sur l'opinion d'autrui, alors qu'il aurait tout à gagner à consulter sa conscience à lui. L'enfant qu'on punit en l'humiliant cherchera non pas à s'excuser, mais à se venger.

Les châtiments corporels

Les fessées et autres châtiments corporels font cesser la conduite indésirable d'un enfant en le terrifiant ou en lui infligeant une douleur physique, tout en affirmant le pouvoir de la force physique de l'adulte. Les personnes qui ont subi des châtiments corporels lorsqu'elles étaient enfants semblent n'avoir jamais oublié l'impression de puissance que leur donnaient leurs parents, et la terreur qu'ils leur inspiraient. Habituellement, elles se souviennent aussi du sentiment de colère qui s'emparait d'elles, et du peu d'admiration ou de respect qu'elles vouaient à leurs parents en de tels moments.

Ces mêmes adultes se rappellent beaucoup moins souvent ce qui justifiait la fessée, ou la leçon qu'elle était censée leur inculquer. Une adulte, aujourd'hui mère, l'exprime en ces termes : «Je me rappelle exactement avec quoi on me frappait et où, mais absolument pas le motif. Tout ce dont je me souviens, c'est ma honte, ma colère contre mon père, et mon désir de me venger. Mais je n'ai rien appris.»

Quand un parent recourt à la violence pour montrer que c'est lui qui commande, il – ou elle – dit «Je suis plus fort que toi» et «Je ne te respecte pas». L'enfant ainsi traité risque fort de se replier sur lui-même et de s'enfermer dans un cocon de colère protecteur. Il cessera de respecter l'adulte et prendra difficilement au sérieux les enseignements moraux du parent qui lui a fait du mal.

Beaucoup de familles, en Amérique et ailleurs, continuent à voir dans la fessée une forme de discipline acceptable. Il y a une génération encore, en France, de nombreux enfants grandissaient à l'ombre du *martinet*[1].

---

1. En français dans le texte. *(NdT.)*

Il ne servait guère, sinon jamais, mais, accroché au mur de la cuisine, il formulait un rappel inexorable du châtiment ultime en cas d'«indiscipline». Quelquefois, une simple menace suffit à rendre l'acte inutile. Mais un enfant doit-il vivre dans la peur pour apprendre à se maîtriser?

Dans d'autres cultures, une cuiller en bois ou une raquette de ping-pong attendent dans un coin de s'abattre sur le postérieur des enfants désobéissants. Même si elles ne servent jamais, on y fait également allusion pour remettre en mémoire, au besoin, des sanctions qu'il vaut mieux éviter. Beaucoup de parents n'ont jamais frappé leurs enfants. Ils leur rappellent simplement leur pouvoir, et le fait qu'ils sont prêts à l'exprimer. Les enfants qui sont en âge de comprendre, d'imaginer ce qu'ils pourraient ressentir et de décider qu'il est inutile de continuer à mal se conduire n'en feront jamais l'expérience. Mais, du fait de cette méthode, ils sont dépendants de la menace d'une douleur physique brandie par les parents pour mettre un terme à leur comportement et les obliger à y réfléchir.

Les parents élevés avec des châtiments corporels poursuivent cette tradition à la génération suivante. Ils le font souvent par fidélité à leurs propres parents et à leur culture, ou en raison de la conception qu'ils ont de leur «devoir», ou encore parce qu'ils ne connaissent pas d'autre solution. Une maîtresse de classe maternelle de notre entourage entend les parents lui dire : «Mes parents me donnaient la fessée mais je ne crois pas avoir si mal tourné.» À quoi elle répond : «Vous vous trompez. Vous avez bien tourné *malgré* les fessées!»

Les parents qui ne veulent pas reproduire les schémas familiaux s'aperçoivent que, dans la chaleur du moment, ils recourent à des méthodes familières et profondément ancrées en eux. Mais un sentiment de culpabilité les accable alors. Ceux qui parviennent à éviter tout châtiment corporel y sont aidés s'ils ont prévu d'autres solutions simples auxquelles recourir quand ils n'ont guère le temps de réfléchir.

Toute famille doit comprendre ses traditions en matière de discipline (y compris les châtiments corporels), qu'elle les perpétue ou qu'elle s'engage sur une voie nouvelle. Les traditions familiales méritent le respect, même s'il existe désormais des lignes à ne plus franchir. Les atteintes physiques sont inacceptables, quelles que soient les circonstances. Mais que dire de la douleur physique passagère – comme celle infligée par une fessée ou une gifle ? De la souffrance émotionnelle, passagère ou non – comme la honte, l'humiliation, les critiques destructrices ou les comparaisons négatives avec les frères et sœurs ? Si la discipline est par définition un enseignement, et son but l'autodiscipline, ces méthodes au mieux sont hors sujet, et au pis aboutissent à l'effet inverse. Elles ne jouent aucun rôle dans l'éducation de l'enfant.

En général, les parents frappent un enfant lorsqu'ils ne se contrôlent plus. Ce dernier risque de n'en tirer aucun enseignement positif. Il est beaucoup plus rare qu'un parent frappe lorsqu'il est calme et maître de lui, appliquant un châtiment corporel dûment réfléchi.

Quand ils recourent aux châtiments corporels, les parents disent aussi à l'enfant : « Tu vas bien te conduire parce que j'ai les moyens de t'y obliger. » Ces messages ne le préparent pas pour le jour où ils seront absents ou ne pourront plus le punir. Dans le monde de violence qui est le nôtre, nous ne pouvons plus nous permettre d'inculquer à nos enfants un comportement violent. Nous ne pouvons

94

plus nous permettre de leur inculquer la discipline sans leur donner des raisons meilleures et plus durables d'assumer la responsabilité de leur comportement. (Voir *Les fessées*, au chapitre 3.)

Obtenir l'attention d'un enfant

Pour obliger un enfant complètement absorbé par ce qu'il fait de répréhensible à vous écouter :

- utilisez un élément de surprise ;
- baissez soudain la voix et chuchotez, ou criez brusquement deux ou trois mots, mais pas plus ;
- claquez des mains ou sifflez entre vos doigts – une fois suffit ;
- éloignez-vous si les circonstances le permettent. Votre présence et votre intervention ne font que renforcer son comportement. Mais évitez de le punir en vous désintéressant de lui ou en menaçant de partir ;
- si vous ne pouvez pas vous éloigner, obligez-le à s'arrêter en prenant sa tête entre vos mains ou en les posant fermement sur ses épaules ;
- regardez-le dans les yeux et obligez-le à vous écouter. «Tu dois t'arrêter et m'écouter.

Tout de suite.» Maintenez-le fermement, mais sans appliquer de pression ni lui faire mal : «Je dois t'arrêter tant que tu ne sais pas le faire toi-même.» L'enfant cessera d'essayer de provoquer des parents qui ne perdent pas leur calme, et les imitera.

Chez un enfant d'un ou deux ans, cette procédure peut se réduire à trois actions brèves :

Un : «Arrête de tirer sur la nappe» (d'attraper le téléphone portable, etc.).

Deux : «Tu dois m'écouter. Arrête de tirer sur la nappe (nommez de nouveau le "méfait"), sinon je vais devoir t'aider à t'arrêter.»

Trois : levez-vous et allez vers l'enfant tout en lui disant : «Je vais t'aider à t'arrêter.»

Sautez ces trois temps pour passer à l'action immédiatement quand le comportement est dangereux ou dommageable et exige qu'on y mette fin sur-le-champ. Il existe rarement une raison d'aller jusqu'à quatre ou cinq. Si vous le faites, l'enfant se demandera si vous parlez sérieusement. Il continuera jusqu'à ce que vous vous leviez et lui fassiez savoir, par vos actes, que vous ne plaisantez pas.

Déchiffrer le comportement d'un enfant

L'intensité du déchaînement de l'enfant influence aussi la réaction du parent. Un coup d'œil attentif à son comportement l'aidera à savoir quand un simple regard réprobateur suffit, quand quelques mots s'imposent, ou quand il doit passer à l'action. Observez si l'enfant s'arrête ou revient à la vitesse inférieure quand vous faites mine de vous lever. Souvent, votre simple arrivée sur les lieux modère les débordements.

Voyez si l'enfant se livre complètement à son impulsion à ce moment précis et ne paraît rien entendre jusqu'à ce que vous posiez la main sur lui. Une fois qu'il s'est interrompu, calmé, et qu'il a commencé à communiquer plus ou moins sereinement avec vous, expliquez-lui en quoi son comportement était répréhensible et pourquoi vous devez l'aider. Dites-lui que vous voyez qu'il se donne beaucoup de mal pour vous écouter et se maîtriser. Surtout, faites-lui comprendre que vous ne doutez pas qu'il finira par apprendre à se contrôler.

À mesure que l'enfant grandit, le contact physique doit devenir de moins en moins nécessaire. Un enfant qui fait des bêtises sans bruit et méthodiquement, par exemple en gribouillant un livre, aura besoin d'un simple rappel à l'ordre. Il faudra retirer livre et crayons à celui qui arrache les pages avec ardeur ou qui entreprend de le colorier avec un surcroît d'enthousiasme après avoir été grondé. Souvent, plus le comportement de l'enfant est énergique, plus l'intervention du parent doit l'être aussi. Quand l'enfant utilise les mots et la réflexion pour désobéir, les mots et la réflexion suffisent aussi au parent, habituellement, pour rétablir l'ordre.

Souvent, moins on en fait, mieux cela vaut. Utilisez les mimiques. Essayez de parler plus bas, voire de chuchoter, au lieu d'élever la voix. Le but est d'intervenir dans le comportement qui absorbe l'enfant et de retenir son attention assez longtemps pour en diminuer progressivement l'intensité. Votre réprobation l'obligera à réévaluer ses actes. Prenez un air sévère, froncez les sourcils et faites les gros yeux. À certains enfants, dans certaines situations, cela peut suffire.

La possibilité de réparer

La discipline doit permettre à l'enfant d'assumer sa conduite répréhensible, de se racheter et d'obtenir son pardon. S'il casse un objet, on peut lui proposer de le réparer, l'aider à donner quelque chose en échange ou à le remplacer. Il peut s'excuser. Et être pardonné.

S'il a fait du mal à un autre enfant, on peut lui donner la possibilité de le consoler, de s'excuser et de voir comment se dominer à l'avenir. Ou lui dire « Fini les invitations » jusqu'à ce qu'il ait prévu à quoi ils joueront ensemble la prochaine fois. Bien sûr, cela ne marchera pas forcément « la prochaine fois », mais peut-être un jour.

Les excuses et les réparations aident l'enfant à connaître les sentiments d'autrui et à en tenir compte. La discipline lui enseigne ce qu'il doit faire pour être pardonné et lui permet de croire qu'il peut l'être.

Un jeune enfant vit essentiellement dans le présent. La discipline l'aide à assumer les conséquences de ses actes. Une fessée fait passer un message beaucoup plus brutal : « Tu te conduis mal, je te fais mal. » (Voir aussi *Réparer,* au chapitre 3.)

Comportement et conséquences

L'enfant de huit mois qui commence tout juste à marcher à quatre pattes n'a peur de rien. Les parents horrifiés découvrent que, soudain, le monde appartient à ce jeune casse-cou dépourvu de discernement et de tout sens du danger. Si on place un bébé de cet âge qui vient de maîtriser la marche à quatre pattes sur une plaque de Plexiglas transparente à travers laquelle il peut voir la table qui constitue son support s'arrêter net, il continue d'avancer sans hésiter. Mais, un mois plus tard, le même enfant s'immobilise, regarde de nouveau ce qu'il a sous les yeux et reste figé sur place. Un mois de bosses et d'éraflures lui a donné ses premières leçons sur les dangers de son environnement et sur les conséquences de son insouciance. Bien entendu, un parent doit protéger son enfant des blessures, mais trop le couver bride l'apprentissage. Il doit chercher des occasions sans danger pour lui permettre de tirer les leçons de l'expérience. Tous les enfants doivent savoir que certains actes entraînent certaines conséquences et certaines sanctions.

Les sanctions seront conçues pour lui enseigner les effets de son comportement et l'amener à se conduire autrement la fois suivante. Et lui donner aussi, si possible, une chance de se faire pardonner.

Pour l'aider à retenir la leçon de ses erreurs, des sanctions choisies avec soin sont plus efficaces que la douleur, la peur, la honte ou l'humiliation. Un jeune enfant n'a pas conscience de certaines conséquences de son comportement. Les aurait-il vraiment comprises que, dans de nombreux cas, il y aurait mis fin de lui-même s'il en avait été capable.

La conduite répréhensible de l'enfant a souvent un but, mais qui n'apparaît pas tout de suite. Lorsqu'il semble vouloir provoquer ses parents, l'enfant n'a pas toujours une vision claire de ses besoins ni de la façon de les exprimer. Les parents doivent chercher la vraie raison de son comportement et l'aider à la comprendre. Le père d'une petite fille qui court d'une pièce à l'autre en faisant tomber des objets au passage la prend dans ses bras en lui disant : «Tu veux que je fasse attention à toi, n'est-ce pas?» Il continue : «Je sais que tu as envie qu'on joue ensemble, et je regrette d'être occupé pour l'instant. Mais quand tu cours partout en renversant tout, tu sais que je vais être trop en colère pour avoir envie de jouer. Et que nous devrons passer notre temps à ranger au lieu de jouer.» Ce père a aidé sa fille à comprendre ce qui la poussait à agir ainsi, ainsi que les conséquences à attendre du comportement négatif par lequel elle voulait attirer son attention : un père en colère, et pas de temps pour s'amuser.

Pour aider un enfant à établir un lien entre son comportement et ses conséquences, les parents peuvent choisir des sanctions qui en résultent clairement. Disproportionnées ou sans lien apparent avec ce qui les a provoquées, elles jettent la confusion dans l'esprit de la plupart des enfants et détournent leur attention de la leçon à retenir. Le retrait d'une possession ou d'un privilège n'ayant aucun rapport avec un comportement précis met simplement en évidence le pouvoir des parents. Il n'aide pas l'enfant à effectuer le rapprochement entre ses actes et leur résultat.

Les parents ont le choix entre des sanctions qui touchent directement l'enfant («Va dans ta chambre»), ses possessions («Ce jeu va passer la fin de la journée sur mon étagère si tu ne le ranges pas»), ses projets («Pas de parc de jeux cet après-midi») ou les personnes auxquelles il tient («Ton ami ne reviendra pas jouer avec toi demain si tu continues à le taper»).

Ces sanctions doivent être mises à exécution le plus vite possible afin que l'enfant – en particulier s'il est jeune – établisse un lien entre son comportement et le résultat. Toutefois, il convient d'abord de mettre fin au comportement en question, et qu'enfant et parent se soient calmés. Le parent aura besoin de réfléchir à une sanction qui marque le coup, mais sans s'apparenter à des représailles. L'enfant devra également faire une pause avant d'être prêt à l'assumer.

Beaucoup de ces sanctions auront plus d'efficacité si elles sont présentées sous un jour positif : « Si tu enfiles vite ton manteau, nous aurons encore le temps d'aller chez mamie. » Ou : « Si tu m'aides à mettre le couvert, j'aurai le temps de jouer avec toi un petit moment avant le dîner. » Ou encore : « Si tu demandes gentiment ce que tu veux, les gens t'écouteront plus volontiers. » Vous ne le soudoyez pas ; vous l'aidez à anticiper les conséquences positives de sa « bonne » conduite.

Ces « primes » soulignent le pouvoir qu'ont les parents de donner et d'enlever, mais empêchent d'apprendre *pourquoi* un comportement est autorisé et pas d'autres. Une petite récompense ou une gâterie encouragent la conduite souhaitée. Mais beaucoup d'actes n'ont guère de sens si l'enfant n'apprend pas à y attacher du prix en soi.

Par exemple, le « merci » d'un enfant qui sait qu'il y a une récompense à la clé n'a

103

pas le même sens qu'un « merci » vraiment reconnaissant. La plus satisfaisante des gratifications pour l'enfant est la réaction qu'il inspire aux intéressés. Lorsqu'ils apprennent que leur conduite porte en elle ses propres récompenses, les enfants sont fiers de leurs efforts. Chaque expérience les fait progresser sur la voie de l'autodiscipline. Les « primes » allouées par les parents ne favorisent pas ce type d'indépendance.

L'argent de poche offre une ressource utile pour inciter des enfants plus âgés (à partir de cinq ans) à avoir un comportement positif. Il ne doit pas être présenté comme une prime, mais comme un privilège que l'on peut acquérir en aidant à la maison. S'il est entendu que certaines tâches doivent être effectuées pour le gagner, il convient en bonne logique de ne pas le donner avant que l'enfant s'en soit acquitté. Lorsqu'on supprime l'argent de poche ou tout autre privilège, il est important d'indiquer exactement à l'enfant ce qu'il doit faire pour le récupérer. Si la punition dure trop longtemps (« Pas d'argent de poche jusqu'à la fin de l'année ! »), elle peut lui paraître une éternité. Il va se désintéresser de la récompense, qui ne l'incitera plus à mieux se conduire. Les gratifications matérielles récompensant la coopération aux tâches familiales risquent d'empiéter à la longue sur la fierté de l'enfant et sur son sens d'appartenance.

Évitez les sanctions qui se répercutent sur les besoins de l'enfant, comme la nourriture. Se nourrir est une nécessité, non un privilège qui peut être octroyé ou retiré; quant au repas, c'est un moment festif qui réunit la famille, non un champ de bataille. Lier la nourriture et les repas à l'autorité ou aux punitions se soldera par le refus de manger et d'autres problèmes du même ordre.

Conséquences et sanctions

Certaines conséquences sont le résultat inévitable ou probable du comportement de l'enfant. La tâche du parent consiste simplement à les lui signaler et à l'aider à les prévoir.

• Si tu utilises tout maintenant, il n'en restera plus.
• Si tu continues, il va se casser et tu n'en auras pas d'autre.
• Si tu ne mets pas ton manteau tout de suite, nous n'aurons pas le temps d'aller voir mamie aujourd'hui.

Des sanctions sont imposées par le parent pour limiter, par exemple, les perturbations causées par l'enfant ou pour l'aider à le faire de lui-même.

• Si tu ne ranges pas ce jouet d'abord, je ne peux pas te laisser en sortir un autre.
• Si tu ne ranges pas tes jouets, je vais être obligé(e) de les mettre dans mon placard pour le reste de la journée.
• Si tu ne peux pas t'arrêter de hurler, tu vas dans ta chambre et tu fermes la porte. Là tu pourras le faire.
• Quand tu pleurniches pour avoir un jouet (ou des bonbons) au magasin, tu peux être certain que tu n'auras rien – ni cette fois, ni la suivante.

Certaines conséquences sont les effets des actes de l'enfant sur d'autres personnes ou d'autres choses. Là encore, il est suffisant de les signaler ou de les rappeler à l'enfant, qui est parfois trop absorbé par ce qu'il fait pour pouvoir penser au résultat – même si on le lui a déjà dit.

• Si tu lui fais mal, il ne voudra plus jouer avec toi. Si tu ne demandes pas gentiment ce que tu veux, personne ne voudra te rendre service.

• Tu pourrais froisser quelqu'un. (Cette remarque, comme mentionné plus haut, ne fonctionne qu'avec un enfant qui apprend à éprouver de l'empathie.)

• Si tu renverses du sucre par terre, tu devras m'aider à nettoyer.

Ou, s'il ne réagit pas :

• Si tu n'aides pas papa à nettoyer, cela va être beaucoup plus long et nous n'aurons pas assez de temps pour jouer ensemble.

Ou, s'il ne réagit toujours pas :

• Si tu continues à renverser du sucre par terre, on aura des fourmis dans la maison. (Attention : un enfant curieux risque de prendre le parent au mot!)

D'autres conséquences, enfin, sont les effets que ses actes produiraient sur l'enfant lui-même.

> • Tu pourrais te faire mal.
> • Tu pourrais te sentir triste de ce que tu as fait. (Inutile de l'humilier pour l'aider à se rappeler les attentes qui devraient être les siennes.) C'est ton ami et tu ne serais pas content de toi si tu lui faisais de la peine.

La sanction la moins appropriée est le chantage affectif. L'affection ne doit en aucun cas intervenir dans une punition. Il est normal que les parents soient en colère quand un enfant se comporte mal, et important que l'enfant sache que c'est une conséquence de sa conduite. Mais il apprendra aussi en prenant modèle sur la capacité de ses parents à se maîtriser. Si le parent s'énerve ou le repousse avec colère, il engagera un nouveau comportement répréhensible pour l'obliger à intervenir. L'enfant qui a l'impression que ses parents n'éprouvent plus de sentiments positifs à son égard perd toute motivation à cesser de mal se conduire et à tirer la leçon de ses erreurs.

Un enfant a besoin de savoir que ses relations avec ses parents ne sont pas compromises par sa « mauvaise » conduite. Un temps d'arrêt ou le fait d'être envoyé dans sa chambre l'aide à se calmer ou l'éloigne de la source de frustration. Mais si l'objectif reste flou, il peut très facilement croire à un éloignement définitif. La relation d'un jeune enfant à ses parents est si essentielle à son existence qu'une menace de cette nature l'empêche d'assimiler la leçon. Lorsqu'il craint de ne plus être aimé, il se comporte le plus « mal » possible, ayant un besoin absolu de savoir si sa « mauvaise » conduite va vraiment lui aliéner son parent.

L'importance d'un front uni

Un parent confronté à un problème de discipline peut demander une « pause » pour consulter l'autre parent avec qui il élève l'enfant. Souvent, le comportement en cause cesse aussitôt, ce qui permet aux parents de se consulter hors de portée de voix de l'enfant, au cas où ils ne seraient pas d'accord sur les réparations à exiger de lui. « Maintenant tu vas dans ta chambre. Ta mère et moi allons réfléchir à ce que tu peux faire pour réparer et nous te le dirons ensuite. »

Une des plus grandes découvertes que font les parents qui élèvent ensemble un enfant est l'histoire familiale de l'autre et l'éducation que lui ont donnée ses parents. Et l'une des tâches les plus délicates qui les attend consiste à concilier l'expérience passée et leur conception présente de la discipline. Dès le début, les enfants percevront les moindres divergences et les testeront. Un enfant conscient qu'un des parents prendra son parti contre l'autre, ou le «protégera» de ses sanctions, continuera à mal se comporter. Il bénéficiera momentanément de son étroite relation au parent «protecteur», mais se sentira coupable de désobéir au parent qui le punit. Souvent, les sanctions que l'un ou l'autre parent décide d'appliquer revêtent infiniment moins d'importance que l'aval des deux parents à ce choix.

Pour les parents, il est souvent plus facile de se dire d'accord que d'agir en conséquence. D'où vient la difficulté d'établir des règles qui incluent l'autre conjoint dans la décision? Deux adultes qui s'occupent d'un enfant ne peuvent que réagir avec passion dès qu'il est en cause. Cette passion crée entre eux une compétition pour ce que j'appelle la «défense du territoire». En se disputant une place dans le cœur de l'enfant, ils reconnaissent que celui qui cédera sera récompensé par une relation plus étroite avec lui – à court terme.

Mais les enfants ont besoin que les adultes qui les élèvent s'entendent sur les règles, et sur les sanctions quand elles ne sont pas respectées. Les parents peuvent débattre à l'avance – et en privé – d'un problème prévisible et envisager une réaction commune. Face à de nouveaux actes d'indiscipline, ils peuvent marquer une pause («Pour l'instant, tu t'arrêtes», «Tu vas dans ta chambre», ou tout simplement «Maintenant tu te tais»), le temps de discuter de la sanction. Tandis qu'ils unissent leurs efforts pour calmer l'enfant, il leur suffit d'échanger un regard pour se dire : «Il faut qu'on en parle.»

Quelquefois, un parent peut réagir au comportement de l'enfant en fixant une limite que l'autre parent ne juge pas nécessaire. Il vaut presque toujours mieux s'en tenir à la première réaction, et envisager d'en reparler plus tard, en privé, pour voir comment régler le problème lorsqu'il se représentera. Si un seul des parents est présent lors de l'infraction aux règles, l'autre parent doit, en principe, soutenir la solution adoptée. Quand un parent compromet l'autorité de l'autre, l'enfant se sent désorienté, voire coupable, et doute que la discipline parentale le protège de ses impulsions. Les parents se voient parfois obligés de sacrifier les subtilités de leur conception personnelle de la discipline afin de présenter un front uni. En sentant que leurs parents apprennent à travailler en équipe, les enfants savent qu'ils ont une famille, et la sécurité qui va de pair ave elle.

Comment faire équipe en cas d'indiscipline

1. Mettez fin au comportement répréhensible – en marquant une pause ou en ordonnant à l'enfant d'aller dans sa chambre.

2. Respirez un grand coup.

3. Consultez votre conjoint – mettez-vous d'accord sur une décision qui vous convienne à tous deux.

4. Déterminez une sanction étroitement liée au comportement incriminé et qui serve les buts généraux que vous vous êtes fixés – l'apprentissage du contrôle des impulsions, la prise en compte des sentiments d'autrui, la distinction entre le bien et le mal, etc.

5. Dites à l'enfant que vous avez besoin de discuter de sa conduite avec lui, une fois qu'il sera assez calme pour coopérer.

Une responsabilité partagée

Dans tout couple parental, un des deux parents va probablement se charger de l'apprentissage de la discipline. Mais, même si ce rôle lui semble dévolu, souvent les deux parents l'assument, en se réservant toutefois les points qui leur tiennent le plus à cœur. Si ce rôle n'est pas partagé, les enfants jugeront qu'un des parents est «gentil», l'autre «méchant». Mais cette répartition des tâches ne va pas de soi. Habituellement, le parent qui évite de sévir est ressenti comme déstabilisant, voire effrayant et dangereux. L'enfant élevé par ses deux parents doit savoir qu'il peut compter sur l'un comme sur l'autre pour lui fixer des limites. S'ils ne partagent pas la responsabilité de la discipline, les parents créent involontairement chez leur enfant des attentes qui le suivront dans ses relations d'adulte.

Comme si la défense de leur territoire ne suffisait pas à les mettre en conflit, les parents expriment leurs frustrations mutuelles dans leurs désaccords en matière de discipline. Plus ou moins subtilement, ils obligent l'enfant à prendre parti. «Je pense que tu exiges trop d'elle», dit un père à sa femme tandis que leur fille de cinq ans, réprimandée pour ne pas avoir ramassé ses jouets, boude, cachée sous la table. Lui-même vient de se faire houspiller pour être rentré tard une fois de plus. Sa femme se défend : «Comment apprendra-t-elle un jour à être ordonnée si nous ne commençons pas maintenant?» Incapable de s'en empêcher, la petite fille hurle depuis sa cachette : «Je ne t'aime pas, maman!» À cinq ans, non seulement elle lutte contre son impulsion à aller prendre un nouveau jeu avant de ranger le précédent, mais elle comprend aussi que son comportement divise ses parents. Quelle tentation pour un enfant de cet âge qui a déjà commencé son «idylle» avec un des parents aux dépens de l'autre! Comme le rangement de ses jouets est loin de ses préoccupations!

Des points sur lesquels se mettre d'accord

- les petites tâches familiales ;
- l'argent de poche ;
- l'heure et les rituels de coucher ;
- les en-cas entre les repas ;
- les coups et les bagarres ;
- la télévision (les horaires et ce qu'on regarde).

Lorsque l'enfant donne la préférence à un parent

La responsabilité partagée de la discipline n'est jamais simple. Mais elle se complique encore à mesure que l'enfant passe par une phase où il marque sa préférence pour un parent tout en repoussant l'autre. Le petit garçon de quatre ans, pour l'instant en extase devant sa mère, refuse d'avoir affaire à son père. Il acceptera infiniment moins bien qu'il lui dise : «Je vais devoir confisquer ce jouet puisque tu ne l'as pas rangé.» Et se sentira encore plus enclin à désobéir. Sa mère, si elle s'est laissé séduire, tente de le «protéger» du mécontentement de son père et de légitimer les limites : «Donne-lui une autre chance. Il est encore petit.» Dans ce cas, l'injonction paternelle paraît injustifiée, voire effrayante à l'enfant. Il a besoin que ses deux parents lui disent quand il doit obéir.

Le divorce

Quand les parents sont en conflit, séparés ou divorcés, l'enfant a tout autant besoin qu'ils présentent un front uni. Or, en de telles circonstances, il leur est manifestement beaucoup plus douloureux de se consulter sur leurs attentes et leurs priorités, et de décider ensemble des sanctions. Beaucoup plus ardu, aussi, de s'en remettre à l'avis de l'autre parent quand on a la responsabilité de l'enfant. Lorsque des parents en conflit ne s'accordent pas sur la discipline, l'enfant apprend vite à qui demander quoi. Pis, les décisions de discipline perdent de vue les besoins de l'enfant et servent de champ de bataille aux parents pour régler leurs problèmes.

Une question d'entraide

La discipline ne s'inculque pas dans le vide. L'enfant apprend les exigences et les attentes de sa communauté non seulement de ses parents, mais de ses grands-parents et d'autres membres de sa famille, des parents de ses amis, de sa maîtresse, etc.

Les règles qui nous gouvernent sont créées par les communautés auxquelles nous appartenons : famille, voisinage, groupe social, pays. Nous y conformer exige parfois un sacrifice, que nous acceptons car nous reconnaissons devoir, en dernier ressort, soutenir les intérêts de nos communautés afin de protéger les nôtres.

Quand le «monde extérieur» entre en scène, un parent cherche instinctivement à protéger son enfant des conséquences de son comportement. Mais l'enfant doit les assumer pour apprendre à s'autodiscipliner.

«Chut! vous faites trop de bruit», chuchote une spectatrice exaspérée à deux jeunes enfants accompagnés de leur mère au cinéma. «Ce sont des enfants!» sera tentée de rétorquer celle-ci, sur la défensive. Une telle réaction désorientera n'importe quel enfant. C'est au contraire l'occasion de lui faire prendre conscience des effets de son comportement sur autrui. La mère qui dit «Cette dame a raison, restez tranquilles!» fait passer un message nécessaire.

Le monde de l'enfant – la crèche et l'école – représente une source importante de règles auxquelles il doit apprendre à se conformer. Quelques-unes, de l'avis des parents, servent essentiellement les intérêts des enseignants (la nécessité d'une sieste après le déjeuner semble surtout un prétexte pour faire eux-mêmes une pause). D'autres paraissent dictées par des conditions matérielles inadéquates (des périmètres interdits auraient donné plus d'espace aux enfants si on les avait sécurisés). Mais beaucoup de règles auxquelles les enfants (et les adultes) doivent se plier sont là pour résoudre en toute équité des besoins conflictuels et des limitations matérielles. La discipline scolaire offre aux enfants l'occasion de comprendre tôt dans la vie qu'il est nécessaire d'équilibrer leurs propres désirs avec ceux des autres. Ils découvrent aussi qu'il est gratifiant de modérer leur comportement afin de participer à des activités de groupe passionnantes.

Les enseignants doivent pouvoir compter sur l'appui des parents pour satisfaire aux règles et aux attentes du cadre scolaire. Mais les parents se sentent vite critiqués, et sont sur la défensive quand on leur parle des incartades de leur enfant. Son comportement n'a rien de nouveau pour eux, mais ils l'assument plus difficilement lorsqu'il s'exprime dans le cadre scolaire où il devient public, où il leur est moins possible d'intervenir et où les enjeux sont plus importants.

La «défense du territoire» que nous évoquions entre les parents joue également entre parents et enseignants. Ceux-ci aussi portent un intérêt passionné à leurs élèves, même si, bien souvent, leurs efforts ne sont pas reconnus à leur juste mérite. Ni les parents, ni les enseignants n'aiment penser que l'«inconduite» des enfants leur est imputable. Quand les règles diffèrent à la maison et à l'école, les enfants perdent leurs repères. Les parents pointent un doigt accusateur sur les éducateurs, qui leur rendent la pareille. Mais s'ils apprennent à coopérer, ils renforcent alors leurs attentes réciproques au sujet des enfants.

Lorsqu'un parent ne sait pas comment réagir face au comportement d'un enfant, les éducateurs, les grands-parents ou les parents d'autres enfants sont parfois de bon conseil. «Ma fille est insolente en ce moment. Elle passe son temps à me répondre», confie un père à un autre père tandis qu'ils regardent leurs enfants s'amuser sur le terrain de jeu. «La mienne aussi, répond celui-ci. Mais ne la laissez pas faire. Sinon, elle ne se rendra pas compte de l'effet qu'elle produit sur les autres en parlant de cette façon.»

Les parents qui sympathisent tôt peuvent continuer à s'entraider au fil des ans et jusqu'à l'adolescence de leurs enfants, où les problèmes deviendront plus complexes et plus redoutables. Il faut tout un village pour élever un enfant.

3.

LES STRATÉGIES
DE LA DISCIPLINE

Les stratégies de la discipline doivent remplir plusieurs objectifs. Un : mettre fin au comportement négatif de l'enfant. Deux : amener l'enfant à reprendre le contrôle de ses émotions et à se calmer afin de pouvoir aborder les étapes suivantes. Trois : le faire réfléchir à son acte afin d'en comprendre les conséquences, notamment sur autrui. Quatre : permettre de résoudre le problème, parfois par la négociation ou le compromis, et orienter l'enfant vers la notion de réparation. Viennent enfin les excuses et le pardon.

Pendant tout ce temps, le parent doit exploiter les occasions d'aider l'enfant à apprendre à s'interrompre de lui-même, à contrôler ses émotions, à reconnaître qu'il a mal agi et à comprendre l'effet de son comportement sur autrui, à réfléchir aux tactiques qui l'empêcheront de recommencer. En procédant ainsi, vous ne vous contentez pas de mettre fin à son «inconduite» et de la sanctionner. Votre enfant apprend à ne pas répéter la même erreur la fois suivante. N'espérez pas qu'il assimile la leçon d'un coup. C'est une entreprise au long cours, qui exigera de la patience et de la persévérance.

Nous avons réparti ces stratégies de «discipline ordinaire» en trois catégories : habituellement efficaces, parfois profitables, toujours improductives.

Les stratégies habituellement efficaces

Les avertissements préalables

Les avertissements aident un enfant à fixer un terme à des activités qu'il répugne à abandonner. Quand vous le prévenez qu'un changement s'annonce, vous l'aidez à se préparer à la déception d'avoir à s'interrompre : «Dans un quart d'heure, nous devrons rassembler nos affaires pour rentrer. Tu ne vas pas être content, et je suis désolé(e) de t'obliger à quitter tes amis, mais tu les retrouveras demain. Aujourd'hui, il va bientôt être temps d'arrêter.» Nouvel avertissement à cinq minutes de l'instant fatidique, puis, fermement : « Maintenant, c'est l'heure. Je vais t'aider à ramasser tes jouets. » Les avertissements ont fortifié votre résolution en même temps qu'ils ont préparé l'enfant.

Quand vient l'heure d'aller se coucher, aucun enfant n'aime abandonner ses occupations. « Encore une histoire ! J'ai besoin d'un verre d'eau ! Je veux aller sur le pot ! » Faites comprendre clairement que vous vous en tiendrez à deux avertissements ; ensuite, extinction des feux. Dites, par exemple : « C'est ta première histoire. Après celle-ci, encore une. Ensuite on éteint. » La première histoire terminée, nouvel avertissement : « Celle-là, c'est la deuxième. Rappelle-toi que c'est la dernière avant d'éteindre, alors tiens-toi prêt. » L'irrésolution désoriente un enfant. Des avertissements nets et une décision ferme et attendue le rassurent.

Pour :

• cette stratégie apprend à l'enfant à se préparer à un changement, à prévoir de futures activités ;

• elle lui apprend à identifier ses humeurs (par exemple, la frustration ou l'excitation) et à les contrôler pendant qu'il s'y prépare ;

• elle prend en compte le fait que beaucoup d'enfants se font mal aux changements et aux transitions et sont souvent incapables de les gérer en douceur sans l'aide d'un adulte.

Contre :
• elle ne donnera rien si les avertissements ne sont pas immédiatement suivis d'effet;
• elle échoue quand l'enfant est trop absorbé par son activité pour s'interrompre, ou trop hostile à l'activité suivante pour l'entreprendre de son plein gré.

Le silence

Le silence peut être un mode de discipline extrêmement efficace. Les enfants sont habitués à s'entendre répéter à longueur de journée ce qu'ils doivent faire ou ne pas faire. Quand le silence viole cette attente, l'enfant comprend que son comportement pose un problème. Il n'a qu'un désir : rétablir la communication. Après un silence, les explications sont superflues. Sinon, faites court : «Tu sais que je ne peux pas te laisser faire, n'est-ce pas?»

Pour :
• c'est une façon simple d'obtenir l'attention de l'enfant et d'interrompre son activité, en jouant sur l'effet de surprise.

Contre :
• il peut croire à un chantage affectif;
• le recours trop fréquent au silence a des effets négatifs s'il n'est pas accompagné de la possibilité de parler ensemble ensuite, et de comprendre ce qui s'est passé;
• si la raison du silence reste un mystère, l'enfant pense que son « méfait » est trop grave pour qu'il puisse le réparer.

Les pauses

Souvent, l'enfant est tout simplement trop excité ou déchaîné pour être capable de s'arrêter et de réfléchir à ce qu'il fait. Or c'est exactement ce dont il a besoin avant qu'une autre forme de discipline puisse agir. Il convient d'abord d'interrompre ce cycle de comportement incontrôlé.

La pause vise à lui permettre de se calmer, dans sa chambre ou ailleurs; il doit y parvenir sans aucune intervention de votre part. Votre présence risque de tout annuler et, à ce point précis, des négociations sont vouées à l'échec. Dites-lui que vous restez à proximité et que vous êtes prêt(e) à parler avec lui quand il se sera calmé. Il a besoin de savoir que, même si vous le laissez seul le temps qu'il se reprenne, vous ne l'abandonnez pas. Si vous trouvez que la pause s'éternise, faites-lui quelques suggestions : «Veux-tu te passer un gant de toilette bien froid sur la figure?», « Et si tu écoutais un peu de musique?».

Ces pauses offrent souvent une excellente stratégie en matière de discipline. L'enfant apprend à s'y attendre, et même à reconnaître qu'il en a besoin. «Je fais une pause, maman.» Soyez ferme. Pas de discussions ni de taquineries à ce sujet. Inutile qu'elle se prolonge. Une fois le but atteint – interrompre le comportement négatif –, n'attendez pas. Allez voir l'enfant pour lui dire que vous l'aimez, mais pas sa conduite : «Quand tu es hors de toi, je suis obligée de t'arrêter, jusqu'à ce que tu saches le faire tout seul.»

Si l'enfant refuse d'aller dans sa chambre ou ailleurs, c'est peut-être que le parent ne s'est pas exprimé avec suffisamment de fermeté et de détermination. Il est parfois nécessaire de recourir à une récompense ou à une sanction : «Quand tu auras fini ta pause, tu pourras revenir et te remettre à jouer.» Ou : «Si tu ne commences pas ta pause tout de suite, je vais être obligée de renvoyer ton ami à la maison.»

Il est inutile d'isoler l'enfant plus de temps qu'il ne lui en faut pour retrouver son calme, sauf s'il doit s'atteler ensuite à une autre tâche : se préparer à s'excuser, par exemple, ou réfléchir à la façon dont il peut réparer son comportement. Mais il peut avoir besoin de rester éloigné d'une situation susceptible de réenclencher tout le cycle. L'enfant doit alors trouver une autre manière de gérer cette situation, et il a besoin que vous l'y aidiez.

Sa chambre, une chaise ou le coin deviennent le lieu symbolique où il reprend le contrôle de lui-même. S'il passe son temps à revenir auprès de vous sans s'être calmé, vous pouvez envisager de placer une barrière devant la porte de sa chambre, ou de la laisser entrebâillée avec une chaîne de sécurité. Dans ce cas, prévenez-le et rassurez-le : «Puisque tu es incapable de rester dans ta chambre tant que tu ne t'es pas calmé, je dois mettre la barrière (ou la chaîne) pour t'aider à te contrôler jusqu'à ce que tu saches le faire tout seul. Mais, dès que tout ira bien, je viendrai te chercher.»

La chaîne et la barrière représentent des solutions de dernier recours. Beaucoup d'enfants n'en auront jamais besoin, et la grande majorité seulement en de rares occasions. Lorsqu'on ne peut les éviter, elles permettent de communiquer, tout en symbolisant une restriction. L'enfant ne se sent pas coupé de vous, comme ce serait le cas si la porte était fermée.

Pour :
• cette stratégie met fin au comportement répréhensible;
• elle donne aux parents la possibilité de se calmer;
• elle attire l'attention de l'enfant sur sa conduite;
• elle l'exerce à retrouver son calme – il se sentira fier d'y parvenir;
• elle interrompt un cycle d'interactions négatives avec les personnes (parents et frères et sœurs compris) susceptibles de renforcer son comportement;
• elle lui donne l'occasion de réfléchir à ce qu'il a fait et de prévoir de se conduire autrement;
• elle crée une habitude, utile pour de futurs épisodes, sur laquelle tout le monde peut compter.

Contre :
• l'enfant peut refuser de faire une pause ou de rester en place;
• dans sa chambre, il peut abîmer ou casser des objets; s'il s'agit d'objets auxquels

il tient, cette réaction laisse peut-être présager de plus grandes difficultés à contrôler ses émotions;

• trop souvent utilisée, cette stratégie perd son efficacité.

La chambre, la chaise ou le coin?

Beaucoup d'enfants (et de parents) ont besoin d'un endroit réservé aux pauses. Utilisez-le, quitte à en changer quand il n'est pas disponible. Comme beaucoup de parents le constatent, cet endroit n'a pas besoin d'être isolé. Souvent, le simple fait d'arrêter ce qu'on fait et de rester tranquillement à sa place suffit. Un animateur de crèche que je connais m'a dit un jour : « Je ne crois pas aux pauses. C'est inutile d'éloigner les enfants ou de les laisser seuls. Quand ils se comportent mal, je leur dis juste d'aller s'asseoir sur le canapé. Là, ils sont obligés de s'arrêter et de réfléchir à ce qu'ils ont fait. Mais ils sont confortablement installés et peuvent se détendre en regardant les autres enfants. C'est la meilleure façon d'apprendre, et elle paraît toujours suffire. Ensuite je vais les voir et je les serre affectueusement dans mes bras. Nous parlons de ce qu'ils ont fait de répréhensible, et évoquons comment ils peuvent mieux se conduire. » Quelques semaines plus tard, il m'a annoncé que les pompiers l'avaient obligé à se séparer du canapé, qui n'était pas ignifugé. Tous les enfants ont été navrés de le voir partir!

Il arrive, toutefois, qu'une courte période d'isolement soit nécessaire pour mettre fin au comportement de l'enfant et le calmer. Des enfants hypersensibles ou hyperactifs, par exemple, ont réellement besoin de changer de cadre pour s'apaiser. Par ailleurs, lorsqu'ils sont en groupe, l'enfant qu'on oblige à aller au coin ou à s'asseoir sur une chaise devant tout le monde se sent humilié, ce qui n'est ni souhaitable, ni nécessaire.

Recommencer l'action :
la bonne méthode

C'est une excellente méthode pour permettre à l'enfant de se reprendre et d'éprouver un sentiment d'efficacité. Proposez-lui (mais sans insister) de l'aider à maîtriser ce qu'il n'a pas réussi à accomplir et faites-lui comprendre qu'il en est capable.

Pour :
• insistez sur la réussite, non sur l'échec;
• donnez-lui de l'espoir;
• encouragez-le à réparer et à se faire pardonner;

• cette méthode convient à de nombreuses situations (ce que fait l'enfant, ce qu'il dit) ;

• les enfants (comme les adultes) ont souvent besoin d'une deuxième chance pour parvenir au résultat escompté.

Contre :

• l'enfant n'est pas toujours capable d'atteindre ce résultat ou prêt à y parvenir ; trop insister sur un nouvel essai lui donne une opinion de lui-même encore plus négative ; dans ce cas, fractionnez la tâche (par exemple, ranger sa chambre) en opérations plus minimes (comme mettre les vêtements sales dans le panier à linge) ; faites-lui recommencer ce qu'il peut accomplir avec succès.

Réparer

Plusieurs stratégies permettent à l'enfant de réparer : s'excuser, prendre sur son argent de poche pour payer les dégâts, recommencer sans attendre ce qui n'a pas donné satisfaction – la «bonne méthode». Quand il a les moyens de le faire, lui en donner la possibilité est une merveilleuse façon de lui faire comprendre l'étendue des dommages et le travail nécessaire pour les réparer.

S'il a pris un jouet ou volé un bonbon, il doit absolument les restituer pour apprendre

à gérer ce problème. «Bien sûr, c'est embar-
rassant, mais tu te sentiras tellement mieux
après.» Au besoin, accompagnez-le pour
l'aider. Mais c'est lui qui doit rendre l'objet
du larcin en s'excusant. Quand la chose a
été mangée, demandez-lui de la rembourser
avec son argent s'il en a, ou d'exécuter de
menus travaux pour en gagner.

Aidez-le à comprendre le retentissement
de son acte sur autrui. Il doit assumer son
sentiment de culpabilité, comprendre ce que
son acte signifie pour la victime, et le revivre
en formulant ses excuses. Proposez-lui de
l'aider dans cette dernière tâche, mais c'est
à lui de faire les excuses – de préférence à
l'intéressé. L'expérience lui enseignera le
pouvoir des mots et l'importance d'une
communication précise avec autrui.

Pour :
• cette stratégie aide l'enfant à reconnaître les conséquences de sa conduite ;
• elle l'aide à apprendre que «le crime ne
paie pas» ;
• elle le prépare à résoudre les
problèmes ;
• elle lui permet d'identifier son sentiment de culpabilité et de se racheter.

Contre :

• elle lui fait éprouver un sentiment de culpabilité trop écrasant si on exagère le tort qu'il a fait ou si on lui impose des réparations impossibles à mettre en œuvre;

• restituer un article subtilisé dans un magasin ou dans la maison d'un ami embarrasse autant les parents que l'enfant; mais mieux vaut en passer par là maintenant que lorsque l'enfant sera plus grand.

Le pardon

Se faire pardonner est le but des excuses ou des réparations. L'enfant a besoin de savoir qu'il peut être pardonné, et, s'il accepte mal de réparer, connaître le sentiment positif que procure le pardon. Quelquefois les enfants se butent, persistent dans leur comportement et disent : «Ça m'est égal.» Ils ont déjà commencé à croire qu'ils sont vraiment «méchants». Ces enfants ont besoin qu'on leur rappelle qu'ils peuvent être pardonnés. Plus tard, ils devront apprendre à se pardonner à eux-mêmes.

Pour :

• le pardon permet à l'enfant d'espérer et lui donne un puissant élément d'incitation à mieux se comporter.

Contre :

• si les parents brandissent comme une arme leur pouvoir de pardonner, l'enfant n'apprend pas à juger ses actes – ce qui est le but à long terme de la discipline.

Prévoir

De nombreux comportements répréhensibles sont prévisibles ; les situations sources d'ennuis aussi. Pourquoi ne pas en parler d'avance et prévoir ensemble des solutions de remplacement ? « Je sais que c'est dur pour toi de faire un si long trajet en voiture. Que pourrions-nous prendre pour t'aider à t'occuper ? », « Quand nous arriverons à la caisse, je sais que tu seras tenté de me demander des bonbons. Et tu sais que je te dirai non. Comment t'aider à attendre à côté de la caisse sans rien réclamer ? Nous pourrions emporter un petit goûter bon pour la santé. Ou bien tu pourrais fermer les yeux très fort jusqu'à ce qu'on ait dépassé les bonbons : je te tiendrais par la main. As-tu d'autres idées ? ».

Vous pouvez aussi l'aider à prévoir de faire attention à ses émotions. Par exemple à se rappeler son « escalier roulant d'ennuis » et ce qui le met en marche, à vous dire quand il sent qu'il entame la montée et comment vous pouvez l'aider. Mais attendez-vous, de toute façon, à des ratés, et ne vous sentez pas découragé(e).

Pour :
• cette stratégie apprend à l'enfant à prévoir et à résoudre des problèmes ;
• l'enfant et le parent font équipe en essayant d'affronter ensemble des ennuis prévisibles.

Contre :
• si ces prévisions ne sont pas présentées sous un jour positif, l'enfant croit qu'on s'attend à ce qu'il se comporte mal ;
• s'ils attendent trop de cette tactique conjointe, l'enfant et le parent se découragent.

L'humour

L'humour offre une méthode délectable pour mettre fin à un comportement négatif, pour aider l'enfant à reprendre le contrôle de ses émotions et à les transformer. Trouver matière à rire dans une situation qui perturbe tout le monde est un moyen merveilleux de voir les choses sous un autre angle et d'imaginer une solution. Mais attention à ne pas faire croire à un enfant déchaîné que vous vous moquez de lui.

135

L'humour n'a rien à voir avec la raillerie, qui ne résout jamais un problème.

Pour :
• cette stratégie enseigne à l'enfant une compétence dont il aura besoin toute sa vie ;
• elle empêche de faire une montagne d'un rien.

Contre :
• elle ne fonctionne pas toujours ;
• elle peut avoir l'effet inverse si l'enfant qui se comporte mal se sent la cible de la plaisanterie.

Les stratégies parfois profitables (selon l'enfant et la situation)

Confisquer un jouet

Le jeu fait partie des tâches de l'enfant. Les jouets sont ses outils. Les lui confisquer retient, certes, son attention, et le contrarie. Il doit comprendre le motif de ce retrait, sinon il ne considérera jamais son parent comme un modèle d'équité. Parmi les raisons justifiant de recourir à cette stratégie, citons : faire un usage impropre des jouets, les casser, s'en servir pour faire mal à quelqu'un, refuser de les prêter ou de les

136

partager tour à tour, refuser de les ranger une fois le jeu terminé. Tous ces comportements sont directement liés à la façon dont l'enfant utilise ses jouets, et on peut l'aider à établir le lien de cause à effet : « Si tu continues à vouloir taper sur ton petit frère avec ce camion, je vais devoir te le confisquer. » Ou : « Si tu laisses tes jouets traîner partout par terre, je vais être obligé(e) de les ranger dans mon placard. Quand tu m'en demanderas un, il faudra d'abord que tu ranges l'autre. »

Quand vous enlevez le jouet à l'enfant :

• assurez-vous que le retrait est justifié et qu'il peut le comprendre ;

• ne confisquez pas un jouet (comme un ours) auquel il est profondément attaché ;

• dites clairement combien de temps l'objet restera confisqué, et ce que l'enfant devra faire exactement (s'excuser d'avoir donné des coups, ranger son autre jouet, etc.) pour le récupérer ;

• ne confisquez pas l'objet trop longtemps : l'enfant doit pouvoir s'accrocher à l'espoir de le revoir un jour pour assumer son erreur ; un après-midi ou une journée suffisent en général pour un jeune enfant ; autrement, il oubliera que vous gardez le jouet et ne réagira pas la prochaine fois que vous brandirez cette menace.

Pour :

• cette stratégie met fin au comportement non souhaité, surtout si un jouet en était responsable ;

• elle a une vertu éducative ;

• elle permet à l'enfant d'espérer le retour du jouet, de s'excuser ou de réparer, et d'être pardonné.

Contre :

• s'il ne comprend pas clairement la raison de ce retrait, l'enfant jugera que ses parents sont injustes, excessifs ou coercitifs ;

• même appliquée avec équité, cette stratégie provoque la colère de l'enfant, voire une crise de rage – ne cédez pas.

Annuler les invitations ou différer des activités agréables

Ce sont des formes de discipline utiles car elles placent l'enfant devant les conséquences de sa conduite. Le parent peut expliquer : « Je ne peux pas te permettre d'inviter un ami si tu refuses de m'écouter. J'ai besoin de savoir que ton ami et toi m'écouterez si vous jouez tous les deux ici. Tu vas devoir jouer tout seul cet après-midi. Ensuite nous verrons si tu écoutes mieux.» Ou : «Nous ne pourrons pas aller au parc de jeux après une colère. Tu dois être capable de te contrôler pour aller dans un endroit comme celui-là.»

Ces stratégies, lorsqu'on y recourt, doivent être reliées à la raison qui justifie leur application : «Tu es de si mauvaise humeur aujourd'hui qu'à mon avis nous ferions mieux de reporter l'invitation de Jonathan jusqu'à ce que vous puissiez vraiment vous amuser tous les deux. Il t'attend avec impatience. Mais pour jouer avec lui tu dois d'abord te calmer. Quand tu seras prêt, nous lui téléphonerons de nouveau.»

Pour :
• cette stratégie aide l'enfant à comprendre que son comportement va à l'encontre de ce que requiert une invitation ; assurez-vous qu'il établit le lien entre la punition et son comportement ; il a besoin de savoir aussi quand la punition prendra fin et ce qu'il doit faire pour pouvoir de nouveau jouer avec un autre enfant ; sinon, il se sentira impuissant et n'essaiera pas d'améliorer sa conduite ;
• une fois que tout est bien clair, donnez-lui une raison de le faire.

Contre :

• il est inutile d'annuler une invitation ou une sortie pour punir un comportement sans rapport avec elles ; quand une punition n'a pas de sens, l'enfant remet en question l'autorité du parent et cherche à obtenir ce qu'il veut en cachette ;

• les invitations avec des amis et les activités avec les parents ont de l'importance pour lui et ne doivent pas être supprimées trop souvent ;

• annuler des projets ne pénalise pas seulement votre enfant mais aussi son compagnon de jeu ou d'autres membres de la famille, et risque de lui attirer plus de mécontentement que son comportement n'en mérite ;

• annuler des projets à longue échéance ne sert à rien ; la plupart des stratégies visant à la discipline exigent une sanction immédiate dont l'enfant ressent aussitôt les effets ;

• il est parfois difficile d'établir un lien logique entre le comportement incriminé et le plaisir annulé.

Pas de télévision ni de jeux vidéo

Les parents ne souhaitent pas toujours encourager certaines activités auxquelles

140

l'enfant prend plaisir, comme regarder une émission à la télévision ou jouer à un jeu vidéo. Or, s'ils les suppriment en guise de punition, elles ne lui en paraîtront que plus désirables. Bien entendu, il convient, de toute façon, de les limiter (pas plus d'une heure de télévision par jour). Je conseillerais de priver l'enfant d'émission ou de jeu vidéo seulement quand ces activités sont liées au problème. « Si tu es incapable d'éteindre la télévision quand l'émission est finie, alors on ne l'allumera pas demain. » Surtout, ne cédez pas sur ce type de sanctions, et encore moins quand elles sont si lointaines. Vous pouvez lui dire : « Tu te rappelles comme tu as eu du mal à éteindre la télévision hier, quand c'était fini ? J'ai été obligé(e) de te dire qu'il n'y aurait pas de télévision aujourd'hui, et il n'y en aura pas. Tâche de te rappeler demain, quand ton émission sera terminée, qu'il faut l'éteindre, et sans faire d'histoires. »

Pour :
• cette stratégie peut faire cesser le comportement incriminé et empêcher aussi qu'il se renouvelle ;
• l'enfant apprend les conséquences de sa conduite ;

141

• il comprend que certains amusements sont des privilèges qui ne vont pas de soi, mais se méritent.

Contre :
• elle rend la télévision et les jeux vidéo encore plus attirants ;
• limiter la télévision et les jeux vidéo en guise de punition risque de se confondre avec les critères familiaux à ce sujet.

Fermer les yeux sur des écarts mineurs

Il est important de fermer les yeux sur des écarts mineurs quand d'autres problèmes plus essentiels exigent votre attention. Un enfant réprimandé pour un oui ou pour un non cesse d'écouter. En procédant ainsi, vous pourrez d'autant mieux déterminer les points sur lesquels vous ne céderez pas. Toutefois, cette stratégie est une erreur si le comportement en question est un manquement grave à la discipline, ou si l'enfant a déjà été prévenu ou sanctionné pour la même raison.

Pour :
• cette stratégie permet au parent de choisir les domaines importants dans lesquels la discipline s'exercera ;

• l'enfant prête plus d'attention à des stratégies dont on n'a pas abusé;

• elle décourage les petits écarts de conduite irritants, destinés à attirer l'attention d'un parent.

Contre :
• l'enfant ne comprend pas cette indulgence sélective.

Quitter la scène

Il arrive que la présence d'un parent paraisse envenimer encore plus la situation, notamment quand l'enfant est en colère contre une règle et impute au parent de devoir s'y conformer. Dans ce cas, le seul fait de le voir le plonge dans une crise de rage. Si l'enfant ne craint rien, le départ du parent l'aide à porter son attention sur la règle, ou sur ce qu'il convient de faire, et non sur le rôle du parent qui la lui énonce. « Tu sais que tu dois ranger ta chambre tout de suite, et je sais que tu n'es pas content. Mais c'est nécessaire, et tu es capable de le faire. Je reviendrai tout à l'heure pour voir où tu en es. » L'enfant a ainsi la possibilité de se calmer et de réfléchir à ce qu'il a fait de répréhensible, ou à ce qu'il peut faire pour améliorer la situation. Votre prochain échange se révélera plus constructif. Il est souvent utile de se désengager d'une lutte dans laquelle le point important est déjà perdu.

Chaque fois qu'un parent quitte la scène, l'enfant doit absolument comprendre qu'il n'est ni rejeté, ni abandonné. On n'apprend rien sous l'effet d'un stress de cette nature. Faites-lui savoir que c'est le comportement qui vous déplaît, et non son auteur. Dites-lui que vous espérez comme lui qu'il apprendra à se maîtriser.

Pour :
- cette stratégie met fin à la lutte ;
- elle confie à l'enfant le soin de se calmer et de résoudre le problème ; en y parvenant, il se sent respecté.

Contre :
- elle peut être ressentie comme un rejet ;
- elle ne donnera aucun résultat si l'enfant a besoin du parent pour se calmer ;
- le laisser faire quelque chose tout seul sans avoir l'assurance qu'il en est capable ne sert à rien.

Les tâches familiales supplémentaires

Dans le cas d'un enfant plus âgé, la stratégie qui consiste à lui demander d'effectuer une «corvée» supplémentaire est utile, à condition qu'elle soit directement liée au comportement incriminé. Par exemple, si l'enfant est assez grand pour savoir à quoi s'en tenir et abîme un objet de prix, le parent peut lui demander de faire quelque chose de plus à la maison pour compenser et «payer ses dettes».

Pour :
• cette stratégie donne à l'enfant la possibilité de réparer et d'être pardonné; il n'oubliera probablement pas la leçon;
• la tâche exécutée, le parent est en mesure de lui pardonner et de le complimenter.

Contre :
• les corvées supplémentaires pour punir un comportement perturbateur mais n'ayant aucun lien avec lui sont une erreur; dès que l'aide apportée à la maison se transforme en punition pour une conduite négative, aucun enfant n'a plus envie d'aider; on n'aboutit qu'à accroître ses récriminations;
• elles peuvent aussi avoir un résultat inverse de l'effet escompté en donnant l'occasion à un enfant contestataire de saboter le travail ou de ne pas le faire; le but de la sanction disparaît dans la lutte de pouvoir qui s'ensuit.

145

Les retenues sur l'argent de poche

Si l'enfant attache de l'importance à l'argent de poche, en retenir une partie est un moyen de lui faire comprendre la gravité de son comportement. Mais s'il s'agit de le sanctionner pour une insolence ou un manque de respect à l'égard d'un adulte, ou parce qu'il a blessé les sentiments d'un autre enfant, cette sanction envoie un message confus. L'argent ne corrige pas tous les écarts de comportement ni toutes les erreurs.

Dans certains cas, pourtant, une retenue se justifie : par exemple, pour payer un objet que l'enfant a cassé intentionnellement, ou pour compenser quelque chose qui a été perdu parce qu'il ne l'a pas rangé correctement. L'argent de poche peut aussi être supprimé s'il ne s'acquitte pas de ses tâches habituelles à la maison. Assurez-vous toujours que la réparation financière est assortie à l'âge de l'enfant et à ce qu'il a fait.

Pour :

• cette stratégie aide l'enfant à comprendre l'effet de son comportement;

• elle lui donne la possibilité de réparer son acte.

146

Contre :

• elle ne met pas fin au comportement puisque la sanction survient après le fait, mais elle peut empêcher que des problèmes similaires se présentent de nouveau;

• elle ne sert à rien si l'enfant n'a pas d'argent de poche;

• utilisée comme punition s'il n'a pas exécuté les tâches demandées, elle lui donne l'impression d'être un aide rémunéré, au lieu de lui faire comprendre qu'il est normal d'assumer sa part de travail lorsqu'on fait partie d'une famille.

Les stratégies toujours improductives

Les fessées

Aujourd'hui, le recours aux châtiments corporels doit être évité dans toute la mesure du possible. Quand j'étais petit, j'ai eu droit à des coups de cravache chaque fois que je l'avais «mérité», mais je ne me rappelle pas en avoir appris autre chose que la nécessité pour moi de cacher la cravache aux yeux de mes parents. Frapper un enfant, c'est lui manquer de respect. C'est lui montrer que vous êtes le plus fort (ce qui ne durera pas) et dire : «Seule la violence règle les problèmes.»

147

Dans la société violente qui est la nôtre, je ne saurais en aucun cas recommander cette méthode pour aider un enfant à se contrôler.

J'éviterais de faire usage de la force pour discipliner un enfant. La discipline a pour but de lui apprendre à se maîtriser. La force n'y parviendra pas. Nous ne pouvons plus nous permettre à notre époque de prendre au pied de la lettre la maxime «Qui aime bien châtie bien». Il est temps de l'entendre comme «Qui aime bien discipline bien» – un précepte exigeant, mais essentiel pour tous les parents.

Pour :
• cette stratégie met fin au comportement non souhaité – momentanément, et tant que le parent est là.

Contre :
• elle adresse à l'enfant un message erroné : on peut frapper, faire du mal physiquement, employer la force contre quelqu'un de plus petit et de moins puissant;
• elle n'enseigne rien : l'enfant va concentrer son attention sur sa douleur et sa colère, et non apprendre ce qu'il a fait de répréhensible;
• elle discrédite le parent comme modèle et éducateur.

(Voir aussi *Les châtiments corporels*, au chapitre 2.)

La honte, l'humiliation

N'humiliez jamais un enfant. Son sentiment de culpabilité et la compréhension de ce qu'il a fait ont infiniment plus d'importance. Quand les parents recourent à la honte et à l'humiliation pour contrôler son comportement, l'enfant se sent en colère, horriblement malheureux et impuissant. Ce qui le conduit à nier et à se défendre, non à reconnaître qu'il a fait quelque chose de mal.

Pour :
• cette stratégie met fin au comportement – momentanément.

Contre :
• elle n'enseigne rien ;
• elle nuit à l'estime de soi de l'enfant ;
• elle met à mal la relation parent-enfant.

Le savon sur la bouche

Voilà une autre mesure improductive. À chaque mot grossier que je prononçais, on me passait du savon sur la bouche. Le goût était infect mais, pis, je subissais un affront. Je savais que cela ne purifierait pas mon langage, et cela m'indiquait que ma mère ne contrôlait plus la situation. Je me suis donc contenté de réserver les mots «sales» à mes amis et à mon frère – en privé. Je n'ai rien appris, sauf à éviter que ma mère m'entende jurer.

Pour :
• aucun argument pour ; le temps d'aller prendre la savonnette, le comportement a déjà cessé.

Contre :
• la coercition entre en jeu et crée chez l'enfant du ressentiment, non la volonté de se corriger ;
• la technique est contraire à l'hygiène, et elle lui adresse un message confus sur ce qu'on peut manger sans danger ;
• elle est une violation du rôle nourricier habituel des parents et perturbe l'enfant plus qu'ils ne le soupçonnent.

Les comparaisons avec un autre enfant

Si l'autre enfant est un frère, une sœur ou un ami cher, les comparaisons négatives ne peuvent que nuire à leurs rapports. Un enfant peut, certes, modeler son comportement sur quelqu'un qu'il admire. Mais il échouera forcément s'il essaie de ressembler à quelqu'un dont on lui dit qu'il est «mieux» que lui.

Pour :
• l'enfant apprend auprès d'un ami qu'il admire, surtout si les parents se retiennent de faire des comparaisons défavorables.

Contre :
• cette stratégie s'ingère dans ses relations;
• elle nuit à son estime de soi;
• elle peut le désespérer et ne l'encourage pas à améliorer son comportement;
• un enfant vexé décrétera que ça lui est «égal» et se comportera encore moins bien.

Utiliser la nourriture comme punition ou récompense

Les parents seront tentés de priver l'enfant de dessert ou de son aliment préféré pour le punir, ou de lui offrir une gâterie pour le récompenser. Mais puisqu'ils le nourrissent sans poser de conditions depuis le début de sa vie, la nourriture devient un symbole de leur amour. Une punition ne doit pas le priver d'amour, et pas davantage de nourriture. Une récompense ne doit pas offrir un surplus d'amour

– ou de nourriture. Nous souhaitons que tous les enfants sachent qu'ils recevront leur content d'amour et de nourriture, et cela en toutes circonstances.

Les repas marquent des moments privilégiés qui permettent aux parents et aux enfants d'être ensemble, de se détendre et de savourer leur compagnie réciproque. Si des conflits surgissent à l'heure des repas, mieux vaut ne pas essayer de les régler par des sanctions liées aux aliments. Protégez au maximum repas et nourriture d'associations négatives afin que les enfants continuent à prendre plaisir à s'alimenter et à être en famille.

L'enfant sort inévitablement victorieux des conflits liés à la nourriture. Autant vous faire à cette idée. Des associations positives avec les aliments et les repas mettent en place des habitudes alimentaires saines. Quelquefois les parents essaient d'utiliser la nourriture pour discipliner leur enfant : «Si tu manges ce que tu as dans ton assiette, tu auras droit au dessert.» Commence alors le marchandage. Au lieu de prendre plaisir à cet agréable moment d'échanges familiaux, l'enfant se sent manipulé. S'il a du caractère, soit il refusera ce qu'on veut lui faire avaler à grand renfort de cajoleries, soit il attendra de ne plus subir de pression pour manger ce qui lui plaît – et qui n'aura rien de diététique.

Les desserts ne doivent pas être une récompense, mais une partie du repas partagé. Les grignotages entre les repas – «pour être sûr(e) qu'il mange quelque chose» – n'apprendront jamais à un enfant à se contrôler. Ils symbolisent les efforts des parents, qui se sentent *tenus* de le gaver. Toutes ces «récompenses» – lorsqu'elles servent à convaincre un enfant de manger – exercent une pression et suppriment une dimension de la nourriture importante pour lui : maîtriser ce qu'il met dans son corps.

Pour :
• cette stratégie peut avoir l'effet désiré sur le comportement immédiat – momentanément.

Contre :
• il est impossible en dernier recours de forcer un enfant à manger ; il découvre qu'il peut user de représailles, si vous le privez de nourriture, en refusant de manger ; ce champ de bataille parent-enfant présente des risques ;
• faire de la nourriture une punition ou une récompense perturbe des habitudes alimentaires saines ;

• les desserts ou les bonbons refusés deviennent d'autant plus désirables.

Envoyer l'enfant se coucher ou faire la sieste

Les siestes et les heures de coucher demandent à l'enfant de se séparer de ses parents et du reste du monde. Ce sont déjà des moments difficiles pour lui, et sa résistance est prévisible. Faire des siestes ou du coucher une punition ne les rendra que moins attrayants et renforcera ses réticences. Il doit y attacher des associations positives, et non pas négatives.

Même si « Tu vas aller au lit » représente une menace que le parent n'a pas l'intention de mettre à exécution, le coucher restera associé à l'idée de punition. Or il doit être un moment de communication chaleureuse, l'occasion de lire un livre, de chanter doucement, de s'allonger tout près l'un de l'autre, de se sentir en sécurité, protégé, aimé. Tous ces points sont compromis quand le lit équivaut à une punition.

Si le comportement répréhensible de l'enfant trahit son épuisement, le fait de le coucher tôt se comprend – non comme une punition, mais comme une façon de l'aider.

Pour :
• cette stratégie met fin au comportement – momentanément.

Contre :
• elle aggrave les luttes au moment du
coucher;
• elle est parfois difficile à mettre en œuvre.

Chantage affectif, menaces d'abandon

Ce sont les punitions les plus dévasta-
trices et les plus redoutées qui puissent
accabler un enfant. Leurs effets à long
terme sont graves et peuvent entraîner la
peur, l'insécurité et une faible estime de soi.

Pour :
• cette stratégie met fin au comportement – momentanément.

Contre :
• elle n'enseigne rien;
• elle nuit à la relation enfant-parent;
• un enfant qui ne se sent pas aimé est
incapable d'aimer;
• sans amour, le ressentiment et la haine
peuvent l'envahir et entraîner des problèmes
comportementaux plus graves.

4.

LES PROBLÈMES DE DISCIPLINE COURANTS

Accaparer l'attention

Personne n'apprécie un enfant qui passe son temps à vouloir accaparer l'attention. Or un enfant a besoin qu'on se soucie de lui. Que faire lorsque ce désir devient trop perturbant et, pis, lui vaut l'exaspération de tout le monde? D'abord, assurez-vous de lui réserver des moments «rien que pour lui», que personne n'est autorisé à interrompre, à des horaires réguliers et fiables – dix minutes de tendresses quand vous rentrez à la maison en fin de journée, une histoire tous les soirs avant le coucher, la préparation du petit déjeuner ensemble le dimanche matin. N'en faites pas une récompense de son despotisme, simplement des moments à lui. Quand vous ne pouvez lui consacrer l'attention qu'il réclame, rappelez-lui ces moments privilégiés sur lesquels il sait pouvoir compter. Vous lui apprenez la patience. Certaines des plus belles récompenses de la vie en exigent.

Lorsque ce comportement se met en place, il est important de ne pas le renforcer. Le parent peut réagir sur un ton tranquille et neutre propre à faire comprendre à l'enfant qu'il n'emploie pas la bonne méthode : « Si tu as besoin de moi, ce n'est pas une façon de le demander. Tu sais comment le faire. » S'il continue à vous harceler, adoptez la même attitude calme et dénuée d'ambiguïté : « Tu dois comprendre que même si tu me le demandes encore vingt fois, je ne peux pas t'aider pour l'instant. » Il est tout aussi important d'orienter l'enfant vers d'autres comportements et d'autres solutions : « Je dois terminer ce que je fais, mais dans un quart d'heure j'aurai fini et je viendrai t'aider. En attendant, tu t'amuserais bien mieux avec tes cubes ou tes coloriages qu'en traînant comme une âme en peine. »

Souvent, un enfant qui réclame constamment qu'on s'occupe de lui éprouve de la difficulté à être seul. La tâche du parent ne consiste pas à lui fournir en permanence une compagnie et des jeux, mais à l'aider à se distraire tout seul. (La télévision et les jeux vidéo sont des solutions tentantes, mais ne laissent pas assez d'initiative à l'enfant.) Commencez par l'aider à voir qu'il se sent seul, ou qu'il s'ennuie, ou qu'il ne sait tout simplement pas quoi faire de lui. Il a besoin d'apprendre à gérer ces sentiments. Utilisez les moments que vous lui réservez pour le lui enseigner. Avant de lui suggérer des activités, demandez-lui de réfléchir à ce qui lui redonnerait le moral, à ce qu'il aimerait faire. Il finira par apprendre à se poser lui-même ces questions et à trouver ses propres réponses.

Brutaliser

Un enfant brutal est un enfant qui ne se sent pas en sécurité. Brutaliser un autre enfant, plus faible ou plus petit, le sécurise. Il choisira une cible visiblement vulnérable, et qui souffre d'être malmenée. Ce qui ne fait, bien sûr, qu'ajouter de l'huile sur le feu. À mesure qu'il s'excite, il passe des moqueries aux bourrades ou aux coups. Les deux enfants sont terrifiés.

Comme dans le cas d'autres comportements agressifs entre enfants, tous deux

159

sont en quête de réconfort. L'agressé a besoin d'être protégé et encouragé à se défendre. Il peut dire par exemple à son agresseur : «Tu parais bizarre quand tu fais des réflexions comme ça. Tu t'es déjà entendu?» Peu de «brutes» oseront continuer si la victime ne se comporte pas comme prévu et commence à leur tenir tête sans l'aide de personne. Apprendre des techniques d'autodéfense, comme le judo, tranquillisera un enfant qui a été brutalisé. S'il se sait capable de riposter, il n'aura peut-être jamais besoin d'exercer sa nouvelle compétence. Il paraîtra plus assuré et attirera moins les provocations.

L'enfant brutal flaire une victime potentielle. Il ressent un enfant plus faible comme une menace parce qu'il lui rappelle sa propre faiblesse. C'est pourquoi il a besoin que vous l'aidiez encore plus. Sa confiance en lui est fragile. Les représailles peuvent faire voler en éclats son estime de soi. Prenez-le dans vos bras et bercez-le. «Personne n'aime être brutalisé. Je sais que tu veux des amis, et que tu veux qu'ils t'aiment, mais ils ne le feront pas si tu es comme cela. Essayons de te trouver un ami qui te ressemble et qui peut te taquiner aussi. Vous vous amuserez bien et vous apprendrez à vous faire des amis sans frapper. Tu seras fier de toi. »

Guettez les situations dans lesquelles votre enfant se sent en sécurité, et parlez-en avec lui. Essayez de comprendre ce qui l'inquiète. A-t-il honte de ne pas avoir acquis certaines compétences ? N'y a-t-il pas d'adulte qu'il admire et auquel il puisse s'identifier ? Peut-être n'a-t-il pas encore appris à rechercher l'amitié d'un autre enfant. Peut-être sa capacité à établir des rapports avec les enfants de son âge, à négocier et à faire des compromis, à contrôler son humeur, est-elle trop réduite pour qu'il se fasse des amis durables. À moins qu'il n'ait été lui-même menacé et tente de se rassurer en se persuadant qu'il est trop « fort » pour être en danger. Un enfant qui éprouve des difficultés relationnelles de cet ordre parvient en général à les surmonter avec la compréhension et l'aide d'un adulte.

Colères

Les colères apparaissent en habituellement au cours de la deuxième année. C'est une période d'apprentissage et de travail intenses – pour le jeune enfant mais aussi pour les parents. Personnellement, je ne parlerais pas d'«année terrible» mais d'«année fabuleuse». L'enfant qui commence à marcher et «disparaît» au coin du mur a entamé son exploration du monde en solitaire. L'excitation de l'indépendance s'affirme. Mais elle a un coût redoutable. «Papa sera-t-il encore là si je ne le vois plus quand je "disparais"? Va-t-il vraiment être furieux si j'escalade tout seul l'escalier?» Ce coût s'inscrit sur le visage du jeune explorateur. Il se retourne presque toujours pour vérifier qu'un parent le surveille quand il part en expédition.

L'indépendance inspire à l'enfant des sentiments ambivalents qui le désorientent et le perturbent. Les colères surviennent souvent quand il ne parvient pas à se décider – «Oui ou non?», « J'y vais ou je n'y vais pas?». Elles n'ont souvent aucun déclencheur apparent et sidèrent les parents : «Qu'est-ce qui lui a pris?» Souvent la colère du jeune enfant de deux ans cache ce tiraillement entre deux désirs opposés, ou entre le désir d'indépendance et la peur qu'elle inspire. Il brûle d'être son propre patron! Laissez-le décider dans la mesure du possible. Appréciez à sa juste valeur sa courageuse tentative d'y parvenir. Plus vous essayez de l'aider, plus il tempête. N'essayez pas de l'arrêter, vous ne ferez qu'empirer la situation. Si l'enfant est en sécurité, contentez-vous de vous éloigner. Une fois qu'il a repris le contrôle de lui-même, prenez-le dans vos bras avec tendresse et dites : « C'est vraiment dur de se décider, n'est-ce pas ? Mais tu l'as fait tout seul. »

L'expérience m'a appris que la colère est le problème de l'enfant, pas celui du parent. Nous devons lui laisser le soin de le régler. « Je la fais ou non ? J'en ai envie ou non ? » Le déclencheur paraîtra très bénin et inattendu au parent, mais l'enfant y attache manifestement de l'importance. Pour le parent, le sentiment de désarroi, de perte de contrôle de soi de l'enfant, n'a d'égal que son envie à lui de s'emporter. Les mauvais traitements que l'on voit parfois surgir au cours de la deuxième année résultent de l'angoisse que ces colères suscitent chez l'adulte. Quand elles surviennent dans des lieux publics, comme c'est le plus souvent le cas, les parents se savent étiquetés « mauvais parents ». Incapables de venir en aide à leur enfant ou de mettre fin à ses hurlements et trépignements, ils se sentent sans recours, pas à la hauteur, voire coupables. Tout spectateur ajoute à l'épreuve en fusillant d'un même regard le parent déconfit et l'enfant qui s'époumone. J'ai constaté que la méthode la plus infaillible pour mettre fin à ce genre d'épisodes consiste à tourner les talons. Quand vous vous éloignez (si l'enfant est en sécurité, bien sûr) ou cessez de réagir ouvertement, la colère perd son élément moteur. Vous dites à votre enfant : «À toi de régler le problème.»

Une fois le calme retrouvé, revenez chercher l'enfant, prenez-le dans vos bras et serrez-le fort contre vous en lui disant : «C'est terrible de se mettre dans une colère pareille.» Vous lui faites savoir ainsi que vous l'acceptez tel qu'il est. Que vous pouvez même comprendre son tourment profond. D'une certaine façon, vous lui dites aussi : «Je voudrais t'aider, mais je ne le peux pas.» Et c'est en effet sa lutte intérieure pour prendre des décisions lui-même, au lieu de laisser ce soin à ses parents, qui a déclenché la colère. En vous effaçant pour le laisser se calmer, vous l'encouragez en quelque sorte à s'apaiser – par exemple avec son ours ou son pouce. En s'apercevant qu'il peut maîtriser ces émotions, il se sent moins à leur merci.

Les parents me demandent s'ils peuvent éviter les colères en tirant au clair les problèmes avant qu'ils ne submergent l'enfant. L'humour et le choix des points sur lesquels vous ne céderez pas jouent un rôle déterminant. Mais l'enfant se rendra compte que vous le protégez et se sentira manipulé. Apaiser un jeune enfant ne l'aidera pas à gérer la prise de décision difficile, responsable de ces colères. Progresser vers l'indépendance représente la tâche essentielle qu'il aura à mener à bien au cours de sa deuxième année.

Un enfant qui continue à faire souvent des colères après cinq ans, ou qui a des accès de colère prolongés (plus de vingt à trente minutes), essaie peut-être de répondre à une fragilité sous-jacente que votre pédiatre doit évaluer et qui exige parfois de recourir à un spécialiste.

Défier

Lorsqu'il vous défie, l'enfant ne s'embarrasse pas de détours. Inutile de vous creuser la tête pour savoir où il veut en venir. La phrase fuse : «Non, je ne le ferai pas!», « Force-moi si tu peux!», « Essaie voir!».

Les enfants éprouvent souvent le besoin de défier leurs parents – même quand ils se savent en tort. C'est quelquefois une façon pour eux de se sentir puissants et indépendants. D'autres le font quand ils se sentent trop puissants, quand leur propre pouvoir les terrifie. Ils réclament instamment des limites.

Le défi peut leur servir à vérifier si les parents pensent vraiment ce qu'ils disent. Ensuite, une fois que l'affront initial a déclenché l'irritation grandissante de ses parents, l'enfant persiste dans son attitude afin de les tenir à distance.

Les parents supportent très mal ce type de comportement. Ils y réagissent de manière excessive pour plusieurs raisons.

• Le défi non seulement les met en colère mais les désoriente.

• Leur frustration face à ce comportement s'accumule depuis un moment.

• Le défi les conduit à reconsidérer leur propre rôle : «Avais-je raison d'exiger cela?»

• Il peut les obliger à adopter une position «quitte ou double», aussi déconcertante que hasardeuse.

• Ils voient trop loin, imaginant déjà leur enfant en adolescent contestataire, lorsque leur position de «quitte ou double» aura vraiment de l'importance.

Quand ils sont capables de comprendre pourquoi ils réagissent ainsi, pourquoi ils dramatisent, et de se maîtriser, les parents peuvent mieux apprécier leur position et celle de leur enfant, et y répondre efficacement.

D'abord, réévaluez votre demande. Est-elle si importante? Puis réévaluez l'attitude de défi de l'enfant. Dépasse-t-il vraiment les bornes? Son refus cache-t-il un message qu'il faut comprendre et respecter?

Si vous décidez que votre demande n'avait qu'une importance minime, battez en retraite avec élégance et engrangez les bénéfices de ce recul pour étayer une requête plus importante. «J'apprécie ton courage. Quand tu n'es pas d'accord avec ce que je te demande de faire, je me pose la question : "Cela en vaut-il la peine?" Cette fois, je pense que tu as raison. Ce n'est pas si important. Mais quand cela le sera, je veux pouvoir compter sur toi.»

Si vous estimez, en revanche, devoir maintenir votre demande, efforcez-vous de rester calme, mais ferme. Obligez l'enfant à vous écouter. Regardez-le dans les yeux. Au besoin, posez doucement un doigt sous son menton ou une main sur son épaule. Renouvelez votre requête et faites-lui comprendre qu'il n'a pas le choix : il doit obtempérer même si vous comprenez son peu d'enthousiasme. Surtout, gardez votre calme afin que ni lui ni vous ne perdiez de vue la requête initiale. La colère empêche parfois de se concentrer en monopolisant le devant de la scène.

Informez l'enfant des conséquences de son comportement. Commencez par lui rappeler la récompense qu'il pourrait avoir s'il faisait ce que vous lui demandez. Choisissez quelque chose de raisonnable et d'étroitement lié à la tâche que vous attendez qu'il exécute. «Quand tu auras fini de ranger ta chambre, nous pourrons accrocher le nouveau cadre.» D'ordinaire, les récompenses donnent de meilleurs résultats que les punitions. Mais dès qu'il a compris votre proposition, plus de discussion.

S'il ne réagit pas tout de suite à la perspective d'une récompense, faites-lui connaître alors ce que sera la conséquence de son comportement négatif. Elle doit être raisonnable, étroitement liée elle aussi à la tâche requise, et simple à appliquer. «Si tu ne commences pas tout de suite à ranger ta chambre, je vais être obligé(e) de ramasser tes affaires et de les enfermer dans mon placard jusqu'à ce que tu sois prêt à le faire toi-même.»

Le plus important quand on détermine une sanction, positive ou négative, est de l'appliquer, et de le faire aussitôt. Prévenez votre enfant : «Je t'ai demandé une fois de ranger ta chambre. Je t'ai dit ce qui arriverait si tu le faisais, et si tu ne le faisais pas. Je te répète pour la dernière fois que tu dois ranger ta chambre. Si tu ne commences pas tout de suite, je vais être obligé(e) de faire exactement ce que je t'ai dit.» S'il s'obstine, appliquez la sanction négative sans l'ombre d'une hésitation, immédiatement. Restez sourd(e) à toute argumentation ou négociation. «C'est trop tard. Tu as laissé passer ta chance. La prochaine fois que nous aurons ce genre de discussion, tu te rappelleras que quand je dis une chose, je ne plaisante pas.» Certains enfants sont aidés s'ils connaissent d'avance votre façon de procéder. Ils sauront vite que chaque fois qu'ils refuseront de faire ce que vous leur demandez, ils auront un avertissement, un rappel, ensuite la sanction.

Désobéir

Un enfant tentera de cacher sa désobéissance, ou au contraire l'affichera (voir *Défier*, ci-dessus). Souvent, un jeune enfant désobéit ouvertement pour savoir ce que veulent dire exactement les parents, et s'ils parlent sérieusement. Dès la première année, ils les mettent à l'épreuve. L'enfant assis dans sa chaise de bébé qui laisse tomber par terre de la nourriture ou un jouet pour voir si le parent va le lui ramasser sait, plus ou moins consciemment, qu'il teste le système. « Combien de fois puis-je m'en tirer à bon compte ? » Le parent en fait un jeu. Du coup, l'enfant ne sait plus quand il peut jeter de la nourriture par terre ou quand c'est défendu. Il continue jusqu'à ce que le parent dise sans ambiguïté « Cela suffit », ou « Tu n'auras plus rien », ou encore l'enlève de sa chaise pour lui changer les idées et mettre clairement fin au jeu.

Vient le moment où laisser tomber de la nourriture par terre n'est plus admis comme un jeu. À mesure que l'enfant grandit, les règles changent. L'enfant peut avoir du mal à s'y faire et à s'adapter. La désobéissance survient quand il ignore la règle ou n'en est pas sûr, mais aussi quand il la connaît parfaitement, mais ne supporte pas la frustration qu'il éprouve en la respectant.

Face à une désobéissance, le parent a tout intérêt à reculer d'un pas et à marquer un temps d'arrêt.

• Restez calme et dominez-vous. Votre enfant apprend à gérer sa frustration en vous observant.

• Évaluez ce qui l'a incité à désobéir.

• Demandez-lui s'il connaît la règle ou ce que l'on attend de lui. Assurez-vous qu'il comprend qu'elle s'applique à la situation.

• S'il ne la connaît vraiment pas, c'est le moment ou jamais de la lui apprendre. S'il paraît sincèrement étonné de découvrir qu'il a fait quelque chose de répréhensible et prend de bonnes résolutions, il est inutile de le punir. Mais vous serez tous les deux soulagés s'il peut se racheter.

• Faites-lui savoir, par votre attitude et vos remarques, qu'il a désobéi. D'un ton calme, sans élever la voix (vous obtiendrez plus vite son attention que si vous êtes hors de vous), dites : «Tu ne peux tout simplement pas faire cela. Je dois t'en empêcher jusqu'à ce que tu en sois capable toi-même.» Ce genre de déclaration vaut à tout âge.

• S'il est nécessaire d'aller plus loin, vous pouvez recourir à des mesures de discipline – pause, isolement, retrait de privilèges, etc. Mais, pour un incident mineur, contentez-vous de lui signifier que vous savez qu'il a désobéi et que vous attendez de lui qu'il se comporte mieux. Réservez les mesures en question aux épisodes plus sérieux qui ne manqueront pas de survenir.

Assurez-vous que votre enfant tire un enseignement de ces mesures. S'il savait qu'il agissait mal, pourquoi l'a-t-il fait ? Par colère ? Pour attirer votre attention ? Parce qu'il n'a pas pu résister à la tentation ? Aucune de ces raisons n'excuse son comportement, mais comprendre sa motivation vous aidera à décider d'une réaction efficace. S'il a agi sous le coup de la colère, il doit assumer les conséquences de sa conduite et réparer. Mais donnez-lui aussi l'occasion de comprendre ce qui le met en colère et faites en sorte que les personnes qui s'occupent de lui le sachent aussi. Un enfant qui désobéit pour attirer l'attention a besoin d'une réaction sobre, qui ne renforce pas ce comportement. Mais accordez-lui de l'attention à d'autres moments, lorsqu'il ne désobéit pas. L'enfant qui désobéit parce qu'il est incapable de résister à la tentation devra lui aussi assumer les conséquences de son comportement et essayer de se racheter. Mais aidez-le à maîtriser ses impulsions et à les contrôler : « La prochaine fois que tu veux vraiment prendre quelque chose qui ne t'appartient pas, essaie de t'en empêcher et de te rappeler ce qui t'est arrivé cette fois-ci. »

L'enfant «gâté»

Un enfant gâté est un enfant qui n'a jamais appris ses propres limites, jamais appris à s'amuser ni à se réconforter tout seul. En général, il aura vécu dans un environnement excessivement protecteur ou indulgent. Souvent l'enfant gâté geint, fait des histoires et pleure pour un rien.

Un enfant qui exige qu'on fasse attention à lui en pleurant est-il un enfant gâté? Les pleurs de la deuxième année, voire de la première, qui s'adressent aux parents et n'ont pas d'autre cause manifeste que la volonté d'attirer l'attention suscitent une réprobation unanime. Un enfant anxieux, incapable de se prendre en charge et qui affiche ce type de pleurs sera qualifié de «gâté». Bien qu'ils cherchent à faire réagir les adultes, ses pleurs quémandeurs délivrent un message : «Tu ne sais pas me satisfaire.»

Certains parents ne reculeront pourtant devant rien pour ce faire. Peut-être leur a-t-il causé de vives inquiétudes à une époque antérieure – une naissance prématurée, une maladie, un problème familial dont il a souffert. Ils ont l'impression d'avoir manqué à leur devoir envers lui. D'autres parents essaient de compenser leur sentiment de ne pas avoir reçu ce qu'ils étaient en droit d'attendre dans leur propre enfance.

Souvent, quand l'enfant doit affronter un nouveau stress, même minime, ordinaire, les parents volent trop vite à son secours. Il rate ainsi l'occasion de se mesurer lui-même à la difficulté, d'assumer sa frustration et d'être incité à faire un autre essai. Il lui manquera le sentiment, important entre tous, du « C'est *moi* qui l'ai fait ! ». Un sentiment décisif pour sa future image de lui-même, pour le sens de sa compétence personnelle.

Les parents de cet enfant doivent revoir leur angle d'approche. Peut-être ne lui laissent-ils pas assez de latitude. Ou ne définissent-ils pas clairement les limites qui lui permettent de se sentir aimé. Je leur enjoins vivement d'essayer ce qui suit.

1. Réévaluez vos règles et vos attentes. Puis fixez des limites claires et présentez-les à l'enfant en étant convaincu(e) qu'elles l'aident et ne le punissent pas.

2. Laissez-lui la possibilité d'agir afin d'éprouver un sentiment personnel de réussite.

3. Identifiez les tâches qui lui donneront le sentiment de résoudre tout seul un problème.

4. Inversez la satisfaction que vous inspirent ses succès. Remplacez «Je suis fier de toi» par «Tu te rends compte de ce que tu viens de faire? Tu es fier, n'est-ce pas?».

5. Entre deux épisodes de frustration, et pour lui assurer que vous ne l'abandonnez pas, prenez-le dans vos bras et montrez-lui combien vous l'aimez. Vous et lui vous sentirez plus en sécurité quand vous le pousserez à se «débrouiller» tout seul.

Fuguer

Quand j'étais enfant, ma grand-mère habitait à deux pas de chez nous. Chaque fois que je voulais punir mes parents de m'avoir grondé ou infligé une sanction, je «fuguais» chez elle. En m'enfuyant, je les imaginais bourrelés de remords : «Il est parti. Nous l'avons perdu. Pourquoi avons-nous été si méchants avec lui?» De loin, je me délectais à la pensée des affres dans lesquelles ils se débattaient sûrement. Bien

175

entendu, ils savaient où me trouver, et mes représailles ne les atteignaient pas outre mesure. Mais dans mon esprit elles avaient l'effet escompté.

La signification d'une fugue dépend de l'âge de l'enfant, des raisons qui l'y ont poussé et de l'endroit où il se réfugie. Beaucoup de jeunes enfants brandissent cette menace à l'occasion, quand ils ont été grondés, punis ou humiliés, ou qu'ils ont le sentiment qu'on ne répond pas à leur demande d'attention. Souvent ces annonces sont spectaculaires ; l'enfant veut voir si quelqu'un semble s'en inquiéter. Après quoi il se dirige d'un pas lourd vers sa chambre pour fourrer dans un sac quelques possessions précieuses. Il peut changer d'idée avant de quitter la pièce. Ou alors descendre comme à regret l'escalier conduisant à la porte d'entrée en espérant qu'un parent va l'arrêter, quitte à claironner une fois de plus qu'il part «pour de vrai» et ne reviendra jamais ! Claquant la porte d'entrée pour que tout le monde l'entende bien, il descend lentement les marches du perron, se retournant pour vérifier si vraiment personne ne se précipite pour le retenir. Alors il s'assied à deux pas de chez lui, à côté de la maison voisine, ou, s'il est vraiment ulcéré, marche jusqu'à celle d'un ami qui habite à proximité.

Un jeune enfant qui «fugue» ainsi quête l'assurance – après une escarmouche avec ses parents – qu'on veut de lui, qu'on se soucie de lui. Il peut chercher aussi à se sentir «grand et fort», et non pas petit et impuissant. Dans cette décision se glisse également de la colère : «Si vous ne vous occupez pas de moi, alors je n'ai pas besoin de vous non plus», semble-t-il dire.

Bien sûr, le parent doit surveiller l'enfant de près. S'il reste dans son champ de vision et ne risque rien là où ses pas le portent, le parent sait qu'il mettra ce moment à profit pour se calmer et voir qu'il reprend le contrôle de la situation. S'il tarde à revenir, le parent doit aller le chercher et le rassurer : on l'aime, quoi qu'il ait fait. Ce n'est pas le moment de régresser à son niveau. Prenez ses sentiments au sérieux au lieu de les minimiser, surtout s'il vous fait le grand jeu. Sinon, il va forcer la note tragique. Naturellement, si vous ne pouvez pas le suivre du regard ou s'il n'est pas en sécurité tout seul, foncez tout de suite le récupérer !

Un jeune enfant qui ouvre brusquement la porte – sur une impulsion, un coup de colère ou l'effet du désespoir – doit être immédiatement poursuivi et « capturé », car son comportement est clairement imprévisible, voire dangereux. Il convient aussi de retenir un jeune enfant qui est triste depuis un certain temps, ou stressé à la suite d'événements difficiles (un décès ou une autre perte, quelqu'un qui l'a brutalisé à l'école, un épisode traumatisant). Un enfant plongé dans le désarroi peut essayer de retrouver une personne chère qu'il a perdue ou fuir une situation vraiment intolérable – cela à tout prix. Les enfants plus âgés qui fuguent ne jouent plus leurs fantasmes et sont mus par le sentiment encore plus désespéré de ce qu'ils doivent fuir.

Dans toutes ces situations, la première tâche du parent, après s'être hâté de récupérer le « fugueur », est de le réconforter et de l'aider à se calmer. Ensuite, de lui assurer que ceux qui s'occupent de lui l'aiment toujours. Vous sentirez son corps se détendre et se blottir contre le vôtre alors que vous le tenez dans vos bras. Puis, quand il est prêt, donnez-lui la possibilité de comprendre ce qui le rend malheureux. Enfin, réfléchissez ensemble aux solutions, autres que la fuite, qui mériteraient d'être essayées. Mais dans le cas d'enfants qui fuguent sur un coup de tête, qui sont assez grands pour s'enfuir trop loin pour qu'on les retrouve, qui ont traversé des deuils ou des traumatismes ou qui subissent un stress, l'assurance qu'ils sont aimés ne suffira pas à répondre à cet appel au secours : ils ont besoin de l'aide d'un professionnel de la santé mentale.

En Amérique aujourd'hui, un enfant seul ne se trouve plus en sécurité. Fuguer est grave. L'enfant ne peut en aucun cas utiliser ce comportement à titre de représailles, même pour une courte période. Parent et enfant doivent comprendre cette vérité dans le monde dangereux qui est le nôtre aujourd'hui.

Insolence

«Range plutôt la tienne!» rétorquait avec colère un enfant à qui on demandait de mettre de l'ordre dans sa chambre. Un enfant insolent n'est pas sûr de son rôle ni de celui de ses parents. Il n'accepte pas leur autorité. L'enfant qui dit «Je ne suis pas obligé de le faire et tu ne peux pas me forcer» a besoin de découvrir que ses parents peuvent l'aider à se contrôler. Il les provoque pour s'assurer qu'ils lui fixeront des limites quand il en aura besoin et qu'ils ne supporteront pas son insolence.

L'enfant qui «répond» peut se sentir menacé ou critiqué par une remarque qu'on vient de lui faire. Il n'aura pas bien compris et ne sera pas capable d'en tirer un enseignement. Ou il aura trop bien compris, y aura vu une attaque personnelle et ripostera du tac au tac. Un parent qui dit «Pour une fois, tu ferais bien de penser à quelqu'un d'autre qu'à toi» énonce un point important, mais d'une façon trop directe et trop cassante pour un enfant. Celui-ci répond d'un ton furieux : «Pas du tout! C'est toi qui as besoin de penser à quelqu'un d'autre qu'à toi!» Pour l'instant, il est sourd au message du parent. L'insolence retourne instantanément les remarques cuisantes à l'envoyeur. Mais, un peu plus tard, l'enfant va prendre à cœur les paroles qui l'auront blessé.

L'insolence d'un enfant amène à se poser plusieurs questions. A-t-il l'impression d'être impuissant et que personne ne l'écoute jamais, ou se sent-il au contraire trop puissant et effrayé que personne ne semble prêt à l'aider à se dominer? Comprend-il vraiment les conséquences de ce qu'il dit sur les autres, et l'a-t-on jamais aidé à voir l'effet que son insolence produit sur eux? Qu'entend-il autour de lui? À quelles moqueries et attaques est-il régulièrement en butte?

Comment limiter l'insolence?

1. D'abord, fixez la limite : «Je n'admets pas cette façon de parler.»

2. Si l'enfant proteste, ou s'effondre, éloignez-vous et attendez qu'il se soit calmé avant d'essayer de lui apprendre à communiquer. Il peut avoir besoin d'un moment de silence ou de rester seul dans sa chambre. Ensuite, un câlin ou un peu d'humour – mais rien de blessant.

3. Assurez-vous qu'il apprend qu'en parlant ainsi il n'obtiendra pas ce qu'il souhaite. Ne répondez pas à ce qu'il demande. «Quand tu parles de cette façon, personne ne t'écoute. Mais, dès que tu seras prêt à changer de ton, j'écouterai avec plaisir ce que tu as à me dire.»

4. Suggérez-lui des façons de parler plus positives s'il n'en trouve pas tout seul. «Tu n'es pas d'accord, soit. Mais dis-moi pourquoi, afin que je comprenne bien. Même si je ne peux pas revenir sur ma décision, ce que tu penses m'intéresse. Nous ne pourrons peut-être pas faire ce que tu veux, mais je t'aiderai à comprendre pourquoi.»

5. Assurez-vous qu'il sait en quoi consiste l'insolence et comment les autres y réagissent. « Quand tu dis des choses pareilles (ou quand tu parles sur ce ton), tu fâches les gens ou tu les froisses. Ils refusent de t'écouter. Quand tu as des choses importantes à dire, pense à la façon de les dire pour qu'on t'écoute. » Il n'a peut-être pas conscience d'être insolent. Recourez à l'humour et prenez une voix de dessin animé pour le faire réfléchir à la façon dont les gens réagissent aux diverses intonations – du moment qu'il sait que vous ne vous moquez pas de lui.

6. Donnez-lui la possibilité de s'excuser et faites une nouvelle tentative : « Es-tu prêt à t'excuser d'avoir été impoli ? », « Es-tu prêt à essayer de me dire ce que tu veux me dire avec d'autres mots (ou sur un autre ton) ? ».

Jurons et gros mots

À quatre, cinq ans, un enfant commence à imiter les jurons et les gros mots des autres enfants de son âge ou de ses parents. Comment saurait-il que ce genre de termes attire les réactions des adultes ? Ses parents ont été si fiers de sa maîtrise du langage. Ils l'imitent, le complimentent ; lui enrichit de jour en jour son vocabulaire. Brusquement, il répète un mot « sale », ou jure exactement comme ses parents. Tout le monde s'arrête de parler, accuse le choc ; parfois on s'esclaffe. Ses parents, horrifiés, se comportent comme si leur enfant avait franchi une ligne rouge. Effaré par ces réactions qu'il ne comprend pas, il marmonne de nouveau le mot, histoire de voir s'il va encore faire sensation. Le silence scandalisé et les réactions disproportionnées qu'il suscite renforcent, bien entendu, ces nouvelles acquisitions. L'enfant ne manquera pas de les tester encore et toujours, d'un ton de plus en plus assuré.

Passé la première surprise et la dramatisation de l'incident, les parents ont tout intérêt à se détendre. Il s'agit, chez l'enfant, d'expérimentation et d'imitation. Faut-il y voir un intérêt subit pour la scatologie, le sexe, les comportements prohibés ? « Que nous réserve-t-il ? » Les parents se demanderont également si l'enfant a subi une agression sexuelle. Toutes sortes de craintes surgissent. Or cette expérimentation est courante, et même normale (sauf si le langage est trop détaillé, trop sexuellement explicite pour qu'il l'ait entendu à la maison ou dans la bouche d'autres enfants de son âge).

Ne dramatisez pas. Si vous tenez à faire une réflexion, dites : «Cette façon de parler est déplaisante. Les gens n'aiment pas entendre dire ces mots.» Mais moins vous y accorderez d'attention, plus il y a de chances qu'il s'en désintéresse et s'en tienne là. Demandez-vous si l'enfant imite le langage qu'il entend dans son entourage. Vous vous apercevrez peut-être que vous ou votre conjoint jurez ou utilisez les mots qu'il répète.

Vous redoutez l'influence d'enfants «mal embouchés» – peut-être à juste titre. Mais ce n'est pas une raison pour supprimer les invitations ou le retirer de l'école maternelle. Profitez-en plutôt pour lui apprendre que cette façon de parler déplaît fortement aux gens, et assurez-vous qu'il y est sensible. Si les jurons ou mots «sales» persistent, vérifiez s'il a bien compris qu'il pouvait offenser ses interlocuteurs en parlant ainsi. Expliquez-lui pourquoi. Demandez-lui si c'est son objectif. Dans l'affirmative, il est temps de comprendre ce qui provoque sa colère et de lui proposer des moyens de l'aider.

Les enfants plus âgés qui usent de ce vocabulaire et de jurons répétés sont souvent anxieux et ont besoin de ce langage ordurier pour attirer l'attention sur eux ou pour faire croire qu'ils sont «grands» et délurés. Les complimenter sur leurs qualités qui le méritent reste la meilleure façon de les sécuriser.

Il arrive, mais c'est rare, qu'un enfant qui jure ne contrôle pas ce qu'il dit. Les enfants atteints du syndrome de Tourette, un trouble neurologique peu courant, souffrent de tics, parmi lesquels l'émission répétée de mots grossiers. Mais ce comportement est alors différent. Il est répétitif, surgit inopinément et s'accompagne habituellement d'autres tics – des mouvements automatiques ou des grimaces, ou encore des gestes brusques des bras ou des jambes.

Luttes de pouvoir

Après trois ans, les enfants ressentent par moments le besoin de s'affirmer en instaurant une lutte de pouvoir. Quelquefois elle paraît surgir de façon complètement inattendue. Mais trop souvent elle est prévisible, et peut survenir chaque fois qu'on exige quelque chose de l'enfant. Les crises de rage sont révolues, mais ces luttes les remplacent.

Lorsque vous constatez que vous commencez à être partie prenante, en qualité de parent, dans ce type de conflits, dites-vous bien que vous régressez au niveau de l'enfant. La victoire est-elle assurée? Probablement, en cédant à la colère et en lui faisant clairement comprendre que c'est vous le plus fort et que vous commandez. Disposez-vous d'une autre stratégie pour atteindre votre but? Oui : partez jusqu'à ce que votre enfant se calme. Ensuite, sans discuter, passez à ce que vous lui avez demandé de faire. S'il résiste de nouveau, repartez. Ne tenir aucun compte d'un enfant est une punition sévère, et elle ne doit pas être utilisée à mauvais escient. Il doit être bien clair que, en partant ainsi, le parent dit : «Je reviendrai quand tu te seras calmé», et non : «Je t'abandonne parce que tu n'obéis pas.» Si le conflit porte sur un point minime, n'insistez pas et réservez cette méthode pour des épisodes plus importants. Sinon, faites clairement comprendre à l'enfant qu'il n'a pas le choix. Soit il s'exécute, soit vous devrez le punir pour l'aider à comprendre l'importance de votre demande. À ce stade, vous aurez reconnu tous les deux que le recours à la lutte de pouvoir pour voir si le parent cède n'est plus acceptable.

Mentir

Les jeunes enfants croient vraiment à leurs mensonges. D'autres sont pris entre deux feux – tantôt capables d'assumer le fait qu'ils les ont inventés, tantôt pris du besoin d'y croire. Mais, très souvent, l'enfant qui ment sait qu'il a commis un acte répréhensible. Il ment parce qu'il est incapable de l'assumer, ou parce qu'il espère échapper aux conséquences.

Quand un enfant ment parce qu'il sait avoir mal agi, son mensonge comporte une dimension positive : il sait faire la différence entre le bien et le mal. Pourquoi ne pas l'en féliciter ? Il vous écoutera plus volontiers quand vous l'aiderez à voir que mentir ne rectifiera pas ce qu'il a fait de mal.

L'honnêteté est un apprentissage de longue haleine. Apprendre que mentir ne peut pas changer la réalité représente un pas important sur cette voie. Imiter des parents qui y attachent du prix en est un autre.

Les jeunes enfants mentent couramment. Ils sont aux prises avec un monde qui n'est pas toujours à leur convenance, et ils doivent l'accepter. Le mensonge leur permet de le refaire tel qu'ils voudraient qu'il soit – jusqu'au jour où force leur est d'affronter la réalité. Il est normal qu'ils prennent des objets qui ne leur appartiennent pas, ou fassent des choses qu'ils savent ne pas devoir faire, niant ensuite avoir fait quoi que ce soit de mal. Ils mentent quand il leur devient tout simplement trop difficile de juguler leurs aspirations.

Ces aspirations, par exemple le désir d'être «comme maman», comment y résister? Une petite fille sera tentée d'essayer les vêtements de sa mère lorsque celle-ci n'est pas en vue. Plus tard, elle mentira si on l'interroge sur la cause du désordre. Si la mère demande : «Qui a touché à mes affaires?», elle répondra par un mensonge caractérisé, incapable de s'abriter derrière un coupable crédible : «C'est le chat.» Que faire alors?

D'abord, la mère doit accepter le désir de l'enfant, quand bien même le mensonge, lui, est inacceptable. Elle peut dire : «Nous savons toutes les deux que ce que tu as dit n'est pas vrai. Je comprends que tu aies envie de jouer avec mes affaires, mais je n'aime pas que tu mentes. Tu n'as pas besoin de le faire. Je peux supporter la vérité, et toi aussi.» Une réaction de cette nature, calme, annule la nécessité de mentir.

Un enfant plus âgé mentira avec plus de force de conviction. Ce qui irritera d'autant plus ses parents et leur posera un problème. Les parents voient rouge quand leur enfant essaie de les «piéger» – surtout s'il y parvient momentanément. Quand les mensonges de l'enfant deviennent plus astucieux, plus difficiles à détecter, ils craignent que ce nouveau savoir-faire ne fasse désormais partie intégrante de sa personnalité. Et ils commencent à se demander comment lui faire confiance.

Face à des mensonges de plus en plus ingénieux et persistants, il est temps de se demander pourquoi l'enfant peine encore à accepter des limites à ses désirs ; pourquoi il se sent tenu de mentir avec tant d'inventivité. Un enfant qui ment souvent pour dissimuler ce qu'il a fait apprendra plus difficilement à accepter les frustrations que lui inspire le monde tel qu'il est.

Il doit d'abord savoir que l'on comprend et admet ses désirs – même s'ils sont irréalisables. S'il sait qu'il peut les faire connaître à ses parents sans que ces derniers les lui reprochent ou les minimisent, s'il peut compter sur eux pour l'aider à supporter les sentiments qui accompagnent des désirs non satisfaits, il n'aura peut-être pas besoin de mentir. Si, en revanche, les parents réagissent à un mensonge en critiquant l'acte mais aussi le désir qu'il recouvre, l'enfant cherchera à légitimer son désir et n'attachera guère d'importance au mensonge en soi.

Si les parents l'accablent d'un sentiment de culpabilité excessif, l'enfant se protégera en se convainquant que son mensonge était la vérité, qu'il n'a jamais menti. Ce qui mettra en place, bien évidemment, un comportement répétitif.

Certes, les parents doivent faire clairement comprendre qu'ils n'admettent pas les mensonges. Mais, en définitive, l'enfant cessera de mentir parce qu'il n'en aura plus besoin, et parce qu'il aura appris à critiquer lui-même son comportement.

Quand un enfant plus âgé ment, commencez par lui dire : «Je t'aime, mais je n'aime pas t'entendre mentir.» Aidez-le ensuite à saisir pourquoi il l'a fait. «Je ne comprends pas pourquoi tu as besoin de me dire cela. Et toi? Quelquefois on dit des mensonges quand on a du mal à regarder la réalité en face.» L'enfant doit savoir qu'il n'est jamais trop tard pour réparer un mensonge. «Dis la vérité à ta maîtresse. Et, même, explique-lui pourquoi tu as menti (parce que tu avais très peur). Elle sera fière de toi parce que tu le lui auras dit. Moi aussi, et toi aussi. »

Si les mensonges persistent, consultez un spécialiste ; il aidera l'enfant à démêler les raisons qui le poussent à mentir.

Mordre (frapper, donner des coups de pied, griffer)

Au début de sa deuxième année, un enfant commence à mordre. D'après un pédiatre que nous connaissons, « pour les jeunes enfants, il n'y a pas une grande différence entre embrasser et mordre ». Quand il mord un de ses parents, il est tellement sidéré qu'il pousse un cri lui aussi.

Deux enfants de deux ans se disputent un jouet. Ils poussent, tirent, tentent de se griffer pour se l'approprier. Finalement, sans réfléchir, l'un plonge vers l'autre et lui saisit le bras à deux mains. En un éclair, sa mâchoire se referme sur la peau. Concert de cris et de hurlements, flots de larmes.

Quand un enfant en mord un autre, tout le voisinage s'affole. « Il mord ! Pas question de laisser mon enfant jouer avec lui ! » Mordre, frapper, donner des coups de pied apparaît d'abord comme une réaction à l'excitation ou à une surcharge émotionnelle. De plus en plus excité, l'enfant passe à l'acte, suscitant chez tout le monde une réaction excessive. Il récidive, non par colère ou agressivité, mais en raison d'une surcharge de tension. Ces comportements, très normaux au début, posent un problème quand les adultes de son entourage en tirent des conclusions hâtives : « C'est un enfant agressif. Gardez vos distances. » Quand parents et éducateurs perdent ainsi leur sang-froid, l'enfant apprend vite à exploiter ce comportement pour obtenir une attention immédiate et garantie, voire à l'utiliser comme une arme. En peine de comportements plus charmeurs, il récidive. Très vite, on le range dans la catégorie incriminée et on le fuit, ce qui le conduit à recommencer et laisse présager d'autres attitudes agressives. Mais si les adultes se montrent capables de réagir avec plus de sérénité, mordre perd tout son attrait, et ce comportement disparaît bientôt.

Les parents mordus par leur bambin me demandent souvent : « Dois-je en faire autant ? » Ma réponse est : « Surtout pas ! Vous ne tenez tout de même pas à régresser à son niveau de comportement ? »

Reposez l'enfant par terre, sans vous énerver, et partez en disant : « Je n'aime pas cela.» Mais n'en faites pas une affaire d'État. Quand un enfant mord un autre enfant, la victime a, naturellement, besoin d'être protégée et consolée. Mais son agresseur aussi – d'être protégé de ses impulsions, et d'être rassuré afin d'assumer sa responsabilité. Un enfant qui fait mal à un autre doit affronter son acte – et risque d'être accablé par un sentiment de culpabilité. Il aura alors besoin de le nier au lieu d'en tirer une leçon.

Vous pouvez tracer clairement la limite à ne pas franchir, tout en lui offrant la possibilité de se racheter et d'être pardonné. Son acte peut aussi l'instruire. «Je sais que tu es très malheureux d'avoir fait pleurer ton ami. Tu voulais tellement ce jouet. Mais maintenant tu sais ce qu'on ressent quand on fait mal à un ami pour avoir ce qu'on veut, et c'est terrible. Viens dans mes bras, ensuite nous irons le voir et tu pourras lui dire que tu regrettes.»

À deux ans, un enfant a besoin d'apprendre à comprendre les autres et à s'en soucier, encore que ce soit là, bien sûr, la tâche de toute une vie. Quand il fait mal à quelqu'un, il se sent menacé lui aussi. Tant qu'il ne peut pas s'en empêcher, savoir que la limite fixée par l'adulte le retiendra de faire mal aux autres et à lui-même le rassure. Mais, pour l'instant, c'est une tâche trop lourde pour qu'il l'assume seul.

Lorsque j'exerçais, je gardais toujours dans mon bureau une liste de jeunes enfants que les parents pouvaient inviter à venir jouer. Mais j'étais obligé d'indiquer face à chaque nom : «mordeur», «cogneur», «griffeur» ou «donneur de coups de pied». Les parents trouvaient ainsi un compagnon de jeu assorti au tempérament de leur enfant. Si l'un mordait, l'autre en faisait autant. Les deux hurlaient et se regardaient, interloqués, comme pour dire : «Cela fait mal! Pourquoi as-tu fait une chose pareille?» Et personne ne recommençait.

Que pouvez-vous faire?

Ces comportements agressifs, sauf s'ils persistent jusque dans la troisième ou quatrième année, doivent rarement susciter l'inquiétude. Dans ce dernier cas, je chercherais la raison qui pousse l'enfant à y recourir. S'il le fait souvent, vous devrez en débusquer les causes profondes, ainsi que les symptômes, avec l'aide de votre pédiatre, d'un psychologue ou d'un pédopsychiatre. De nombreuses causes peuvent expliquer ce comportement perturbateur, par exemple la frustration provoquée par un retard du langage ou de la sociabilité, ou un environnement violent.

Problèmes de séparation

Lorsqu'on les dépose à la crèche ou à l'école, beaucoup de jeunes enfants vivent mal la séparation. Leurs protestations prennent la forme d'une énorme colère. Elle peut se prolonger indéfiniment, aussi longtemps que vous êtes en vue. Chaque fois que vous vous levez pour partir, l'enfant se remet à hurler. Le parent se sent déchiré : « Comment le laisser dans un état pareil ? De toute façon, je déteste le quitter et il n'est pas en état de gérer la situation. » « Partez, vous enjoignent puéricultrices ou éducateurs, ensuite il se calmera. » Ils ont raison. La cible de cet accès de désespoir, c'est vous.

Pour éviter ces arrachements, prévoyez toujours de rester un peu avec l'enfant les premiers jours qu'il passe dans une nouvelle école. Préparez-le à la séparation avant de quitter la maison. Emportez sa peluche préférée ou son doudou pour qu'il s'y raccroche après votre départ. Dites-lui que vous resterez un petit moment avec lui, en précisant combien de temps exactement, et qu'ensuite vous partirez – mais que vous reviendrez. Emmenez-le dire bonjour à son institutrice quand vous arrivez. Regardez ensemble la pendule, puis partez comme prévu. Laissez-le avec un ami, si possible, ou avec l'enseignante. Affirmez-lui qu'elle va bien s'occuper de lui. Il attend de vous ces assurances; si vous entretenez des doutes, il les percevra.

Une institutrice avisée pourrait jouer à un jeu de cache-cache avec l'enfant : «Regarde la balle qui roule sous le canapé. Quand elle est dessous, nous ne la voyons plus. Mais nous savons qu'elle est là. Va la chercher! Tu vois, elle est toujours là. Même quand tu ne la vois pas. Juste comme ta maman.»

Pour résoudre vos propres problèmes de séparation, observez-le en cachette à l'extérieur de la classe pour voir combien de temps dure son désespoir. La rapidité d'adaptation de votre enfant vous étonnera. Vous pourriez aussi tenir un journal qui vous rappellerait qu'il s'habitue de mieux en mieux.

En venant le chercher, rappelez-lui que vous lui aviez promis de revenir. En le déposant à l'école le lendemain, redites-lui que vous tenez vos promesses.

À la fin de la journée, tous les enfants «explosent» quand les parents arrivent. Une colère peut même survenir. À la crèche ou à l'école, on ne manquera pas de vous dire : «Avec nous, il a été dans une forme éblouissante toute la journée!» Mais rarement : «Vous avez manqué à votre enfant toute la journée et il s'est donné beaucoup de mal pour être un "grand garçon" (une "grande fille") jusqu'à votre retour. Maintenant il se sent assez en sécurité pour faire savoir à tout le monde à quel point il lui a été dur de passer toute la journée sans vous.» La culpabilité vous submerge. Vous souffrez en entendant ses plaintes véhémentes, normales. Vous avez même envie de le faire taire. Surtout pas !

Même s'il hurle, prenez-le dans vos bras et serrez-le fort contre vous. «Tu m'as manqué toute la journée aussi. Maintenant nous sommes de nouveau une famille.» Si votre enfant vous ignore ou refuse de partir avec vous, dites-vous bien que cela fait partie de ses protestations, ne croyez pas que vous ne lui avez pas manqué. Serrez-le fort dans vos bras.

«Rapporter»

Un enfant qui «rapporte» se heurte à un dilemme moral. Dois-je trahir la confiance d'un ami, ou dois-je garder le silence sur ce qu'il fait de mal ?

Quand le « méfait » n'exige pas vraiment l'intervention d'un adulte, la solution idéale serait que l'enfant aide son camarade à voir son erreur et à changer sa façon de faire. Bien que ce soit peut-être trop demander à un jeune enfant, le lui suggérer en vaut la peine. Il verra ainsi que, s'il croit s'attirer les félicitations de ses parents en « rapportant », il se trompe.

L'enfant qui « rapporte » ne doit pas être récompensé. Mais faut-il le punir ? Son dilemme doit être pris en compte. Un parent qui applaudit à cette initiative renforcera le comportement. Des éloges concis et le fait de l'aider à voir que « rapporter » nuit à ses amitiés suffisent. Laissez-le réfléchir à la façon de gérer la situation sans blesser un ami. Quand l'enfant qui « rapporte » est prêt à envisager d'autres solutions, le parent est en droit de pavoiser ! Aidez votre enfant à imaginer comme il sera fier de défendre lui-même son ami. Il convient néanmoins d'encourager les enfants à se confier à un adulte quand le comportement d'un de leurs camarades compromet leur sécurité ou celle des autres. Ce genre de révélations n'est pas du mouchardage !

Réclamer et pleurnicher

Un enfant qui passe son temps à pleurnicher est un enfant qui a découvert l'efficacité de cette forme de communication. Chaque «oui» ou «non» du parent, au lieu d'un simple «Arrête de geindre», lui confirme l'excellence de sa stratégie. Quand un enfant pleurniche ou fait des histoires, les parents ne doivent pas réagir à ce qu'il dit, mais à la façon dont il le dit. S'il quémande : «Encore une descente de toboggan!», dites-lui d'un ton ferme : «Pas si tu pleurniches.» Ou : «Quand tu pleurniches, je n'écoute pas.» Ou encore : «Je ne peux pas réfléchir à ce que tu me demandes quand tu pleurniches.» Naturellement, soyez à la hauteur de vos déclarations. Si l'enfant change de ton, il convient d'honorer sa requête si elle est raisonnable. Sinon, complimentez-le d'avoir changé de ton, soulignez que maintenant vous l'avez entendu, et expliquez-lui ensuite pourquoi il vous est impossible d'accéder à son désir.

Mais les pleurnicheries ont parfois d'autres motifs. Les enfants stressés par une nouvelle difficulté dans leur développement font des histoires et geignent. De même que ceux soumis à d'autres pressions

– un déménagement, une nouvelle école, des parents qui ne s'entendent pas. Les parents doivent néanmoins les aider à voir les répercussions de leur comportement sur autrui. « Quand tu pleurniches ainsi, personne ne veut t'écouter. » En ne cédant pas, ils leur permettent de comprendre que ce n'est pas la bonne méthode. Ils peuvent leur indiquer ou leur donner en exemple d'autres façons de s'exprimer qui auront pour effet qu'on les écoutera. Ou réagir aux pressions que subit l'enfant, mais pas à son ton geignard.

Il en va de même lorsque l'enfant réclame sans cesse quelque chose. Il recourra à ce comportement s'il le sait payant. Quand les parents hésitent, l'enfant sent qu'il a peut-être une chance – sinon cette fois, au moins la suivante. Lorsque ses exigences opposent ses parents (« Cela ne lui fera pas de mal d'en avoir encore : pourquoi es-tu tellement strict(e) ? »), réclamer porte en soi sa récompense !

Si c'est « non », ce doit être parfaitement clair et ne pas varier d'une fois sur l'autre. Quelquefois, cependant, les parents auront envie d'acheter une douceur à l'enfant à certaines occasions, mais pas à d'autres. L'enfant apprend-il alors que cela vaut la peine, parfois, de réclamer ? Pas si le parent garde le contrôle de la situation : « Si tu réclames quelque chose au magasin, tu peux être sûr que ce sera non. Si tu le demandes poliment, je verrai. Mais une fois que j'ai dit non, c'est non, et je ne veux pas t'entendre. » Si l'enfant proteste, ajoutez : « Nous serions très fâchés tous les deux si tu faisais des histoires. Mais de toute façon, pas de bonbon cette fois-ci. » L'enfant sera soulagé de savoir que le parent peut résister à ses supplications, et que les règles tiennent bon.

Les jeunes enfants font parfois le siège de leurs parents parce qu'ils sont réellement incapables d'imaginer comment supporter la déception d'avoir à se passer du bonbon ou du jouet qui a retenu leur attention sur le moment. Là aussi, un « non » clair et déterminé s'impose. Mais il ne suffira pas s'ils peinent encore à gérer des émotions trop fortes – la colère, la frustration, la déception.

Il est parfois utile de prévenir l'enfant qu'il va devoir s'armer de courage avant d'entendre le verdict : « Tu sais qu'il t'arrive d'être très fâché quand tu ne peux pas avoir ce que tu veux. Alors, prépare-toi. » Ensuite, montrez-lui que vous compatissez à ce qu'il éprouve ; il sentira que vous l'épaulez, même si vous ne pouvez pas satisfaire son désir à ce moment précis : «Je vois que tu vas être très déçu que ce soit non.» Puis expliquez-lui la raison de votre refus : «Tu sais bien que tu ne peux pas avoir un nouveau jouet chaque fois que nous allons au magasin. Et tu ne vas pas en avoir cette fois-ci.» Quand il commence à réclamer et à insister, dites-lui : «Quoi que tu puisses dire, tu sais que nous n'achèterons pas ce jouet. Je n'aime pas te voir si malheureux, et j'aimerais t'aider à te sentir mieux, mais pas en t'achetant ce jouet. Réfléchissons à ce que nous pouvons faire d'autre pour nous amuser.»

Rivalité entre frères et sœurs

Chaque fois qu'il y a plus d'un enfant dans une famille, la rivalité est inévitable. Mais cette rivalité et l'attention portée à l'autre sont les deux côtés d'une même pièce. Les deux vont de pair. La bonne entente naît de ce qu'on apprend sur l'autre, au prix de ces immanquables disputes. Chacun des enfants tire beaucoup d'enseignements de ces bagarres et de la compétition. La compassion, le sens de la responsabilité, la protection par l'aîné du cadet s'affirment quand ils se frottent à d'autres frères et sœurs et enfants de leur âge. L'enfant unique, lui, doit découvrir de nouvelles façons d'apprendre à se battre, à rivaliser avec les autres et à se soucier d'eux.

Les parents accordent trop d'importance à cette rivalité. «Pourquoi n'arrêtent-ils pas de se disputer? Apprendront-ils un jour à s'entendre? Dois-je prendre parti? Quand je m'en mêle, c'est encore pire.» Étonnez-vous! Une grande part de ces chamailleries vise le parent inquiet, chaque enfant cherchant à savoir : «Nous aime-t-on tous les deux autant?» Restez à l'écart de leurs disputes dans la mesure du possible. Comment dire à coup sûr qui est fautif? Vous ne parviendrez jamais à savoir qui est responsable.

Comment réagir aux disputes entre frères et sœurs?

1. Entrez calmement dans la pièce et évaluez la situation.

2. S'il n'y a pas eu d'effusion de sang, si rien n'indique qu'un enfant a été physiquement blessé et si aucun objet dangereux ne traîne dans les parages, dites, par exemple : «C'est votre problème, pas le mien. Prévenez-moi quand vous aurez fini et je reviendrai.» Vous serez étonné(e) de voir l'escalade des hostilités s'arrêter là. Ajoutez au besoin :

« C'est à vous deux de trouver tout seuls la solution. »

3. Si le plus jeune est un nourrisson et ne peut pas se protéger, prenez la situation en main. Vérifiez que l'aîné ne peut pas s'en prendre à lui et le blesser. Apprenez-lui, au contraire, à s'occuper du bébé et à le protéger. Aidez-le à être fier de réprimer sa colère pour ne pas nuire à son petit frère ou à sa petite sœur.

À mesure que le plus jeune apprendra à se défendre – et cela viendra –, vous pourrez rester de plus en plus à l'écart de leurs disputes. Laissez-les apprendre à se connaître – cela viendra aussi. Donnez-leur le sentiment que parvenir à régler leurs conflits sans vous est un signe de maturité, qu'ils peuvent en être fiers.

Lorsqu'ils sont l'un et l'autre capables de veiller sur eux-mêmes, ils risquent moins de se blesser quand vous n'êtes pas là. Je ne connais aucun cas de frère ou de sœur qui ait vraiment fait du mal à l'autre, sauf si le parent était présent et s'en mêlait. Une situation triangulaire attise la rivalité.

En cas de vraie bagarre, et si un enfant est blessé, veillez à réconforter les deux parties. L'agresseur sera aussi terrifié que sa victime. Naturellement, l'enfant qui attaque a besoin de limites («Je ne peux pas l'accepter») et de sanctions («Je t'interdis de jouer avec lui jusqu'à ce que tu te sois calmé et que tu lui aies fait des excuses»). Mais ces excuses n'auront de sens que si vous l'aidez d'abord à comprendre ses sentiments et à chercher comment les maîtriser. Un parent avait acheté à sa fille une poupée grandeur nature qu'elle pouvait frapper à sa convenance. « Quand tu as envie de taper sur ton petit frère, va chercher ta "poupée à raclées" et tape-la à la place. Tu te sentiras mieux après. Nous devons tous apprendre à contrôler ces sentiments. Je le fais chaque fois que quelqu'un me chipe ma place à la caisse. J'ai appris, tu apprendras aussi. »

Taquiner

Tous les enfants sont taquins. C'est une forme de communication difficile à ignorer pour celui qui en fait les frais. Tôt ou tard, la plupart des enfants apprennent que taquiner leur vaut à coup sûr l'attention d'un autre enfant. Ils découvrent le pouvoir de ce comportement. Leur excitation monte jusqu'au moment où la victime craque. La taquinerie peut représenter une forme de domination, en particulier sur un frère ou une sœur plus jeune, et même une forme d'amusement si l'autre renvoie la balle. Mais il convient de réagir si la taquinerie devient blessante.

1. Essayez de comprendre ce que cachent ces taquineries. L'enfant taquin est-il anxieux ? A-t-il besoin de dominer pour se sentir en sécurité ? Ou bien la taquinerie est-elle un moyen d'affirmer l'ordre hiérarchique ? A-t-il du mal à se faire des amis et à bien s'entendre avec les autres enfants ? Tente-t-il désespérément d'attirer l'attention de sa cible ? Réagit-il à une particularité de l'autre enfant qu'il ne comprend pas et qui l'effraie ?

2. Dites-lui que cela suffit. « Arrête tes taquineries. Tu froisses les sentiments des autres. » S'il est incapable de s'arrêter, essayez de distraire son attention pour évaluer l'intensité de son besoin de taquiner.

3. S'il ne s'arrête toujours pas, prenez-le fermement dans vos bras et éloignez-le de sa victime.

4. Une fois qu'il s'est calmé et vous écoute, tenez-le à bout de bras et dites-lui : « Personne n'aime être taquiné comme cela.

Pourquoi le faisais-tu?» Il l'ignore. Il est incapable de le dire. Aidez-le : «Si tu n'aimes pas cet enfant, tu n'as pas besoin de jouer avec lui. Mais si vous voulez être amis, trouve un jeu et apprend à le connaître sans le taquiner.»

5. Suggérez-lui d'imaginer ce qu'on ressent à être taquiné de cette façon afin qu'il se prépare à aller s'excuser. Peut-il dire : «Je suis désolé de t'avoir fait de la peine» en le pensant vraiment? Quand il le fera, aidez-le à voir qu'il peut se sentir fier de lui-même, et non humilié.

Tricher

Tôt ou tard, un enfant triche. Parce qu'il joue à un jeu encore trop compliqué pour lui. Parce qu'il a besoin d'avoir plus souvent l'occasion de jouer à des jeux où il peut gagner. L'enfant qui triche ne comprend pas toujours pleinement les règles. Ou n'est pas capable de retenir son impulsion de gagner à tout prix.

Souvent on l'entend dire : «Je ne supporte pas l'idée de perdre.» L'enfant qui investit toute son estime de soi dans un seul jeu est prêt à tout et ne peut se permettre de perdre. Sa confiance en sa propre valeur est fragile, et les jeux semblent une possibilité de la renforcer, mais rien ne le garantit. Son estime de soi peut être encore plus fragilisée à mesure qu'il mûrit et prend conscience de ses limites, du fait qu'il est vraiment très petit et dépend terriblement de ses parents. Quand on le punit pour avoir triché, le plus souvent il aggrave son cas en mentant : «Je n'ai PAS pris deux cartes!» Et en niant son acte.

Les réprimandes du parent peuvent l'aider à assumer sa tricherie si son estime de soi n'en souffre pas. Elles l'aideront aussi à apprendre à contrôler ses impulsions : «Je sais que tu avais terriblement envie de gagner. Et tu jouais très bien! Mais nous savons, toi et moi, que tu trichais. Je peux comprendre pourquoi tu l'as fait, mais je ne peux pas l'admettre. Tricher ne nous plaît ni à toi ni à moi. Tu sais qu'on n'est pas vraiment fier de gagner quand on triche.»

Même s'il n'est pas encore prêt à changer de conduite, il doit comprendre qu'on éprouve plus de satisfaction à gagner sans tricher. Pour l'y aider, jouez avec lui à de nombreux jeux où il a des chances de gagner. Quand il vous bat, apprenez-lui par votre exemple à se comporter en «bon perdant».

La plupart des enfants qui trichent à cinq ou six ans finissent par s'arrêter. En grandissant, il leur devient plus facile d'attendre la satisfaction de «vraiment» gagner, sans tricher. En acquérant de plus en plus de compétences, ils prennent plus volontiers plaisir à «simplement jouer», et il leur est plus facile de perdre sans avoir une image négative d'eux-mêmes.

Voler

Les jeunes enfants, de la même façon qu'ils essaient de changer tout ce qui leur déplaît dans leur monde en mentant, s'approprient également ce qu'ils ne supportent pas de ne pas avoir. Un enfant de deux ans voit un jouet qu'il convoite, d'autant plus attirant qu'un autre enfant joue avec : il tend le bras pour s'en emparer. Tandis que l'autre enfant hurle en signe de protestation, il serre le jouet contre lui en disant : «Je le veux. Il est à moi.» À cet âge, le problème se règle aisément car les enfants n'ont pas encore appris à se sentir assez coupables pour vouloir dissimuler leur acte.

Ce type de «larcins» offre une excellente occasion d'apprendre. Il convient, bien sûr, de définir la limite : «Prendre les affaires des autres n'est pas permis. » Mais la leçon ne s'arrête pas là. Un enfant de cet âge a besoin de l'aide du parent pour savoir gérer les désirs qui ne peuvent être satisfaits, pour apprendre les règles concernant les possessions personnelles, le partage, le «chacun son tour», et pour commencer à réfléchir aux sentiments de la victime du vol. C'est le but de la discipline, et pour l'atteindre la première tâche d'un parent consiste à aider l'enfant à engranger cette nouvelle somme d'informations. Crier, l'effrayer ou l'accabler d'un sentiment de culpabilité ne servira à rien, d'autant que la puissance de ses propres émotions le terrifie déjà.

Après avoir défini la limite, marquez une pause pour voir s'il se sent déjà assez fautif pour restituer le jouet. S'il est capable de le faire de lui-même, encouragez-le à se sentir fier de lui, non seulement parce qu'il vous a écouté(e), mais parce qu'il a voulu aussi faire ce que *lui* savait être bien. L'enfant doit parvenir à la longue à vouloir bien agir sans qu'un parent lui dise de le faire.

S'il est encore trop excité par le jouet pour s'en dessaisir, dites : «Je vois que tu as terriblement envie de ce jouet, et que tu te sentiras très triste d'être obligé de le rendre. Mais il n'est pas à toi. Tu n'as pas demandé si tu pouvais le prendre et personne ne t'a permis de jouer avec. Tu dois le rendre.» Vous l'aidez ainsi à comprendre les émotions qu'il n'a pas maîtrisées. Vous lui indiquez aussi comment emprunter le jouet : en demandant la permission.

S'il refuse toujours de le rendre, c'est que son désir l'emporte ou qu'il se prépare à une lutte de pouvoir. Dans un cas comme dans l'autre, négocier ne servira à rien. Il est temps de regarder l'enfant dans les yeux et de lui dire d'un ton ferme : «Tu dois rendre ce jouet tout de suite. Si tu n'en es pas capable, je serai obligé(e) de te le prendre pour le rendre moi-même à l'enfant à qui il appartient.» S'il ne bouge pas, faites ce que vous avez dit et attendez-vous à des larmes et à des protestations. «Mais il était à moi! Je le veux!» S'il fait une colère, il devra se calmer avant d'être prêt à tirer une leçon de l'incident.

Une fois le jouet restitué, prenez-le dans vos bras. Il a besoin de réconfort : «Je sais que tu avais terriblement envie de ce jouet. Tu en avais tellement envie que tu rêvais qu'il pouvait être à toi. C'est très dur de ne pas avoir ce qu'on veut si fort.» En l'apaisant, vous lui apprenez à gérer ses propres

211

émotions. À reconnaître celles qu'il doit assumer pour apprendre à vivre dans le monde tel qu'il est, c'est-à-dire sans mentir ni voler pour tenter de le changer. Ses sanglots vont s'espacer et se calmer ; il sera bientôt prêt à écouter les règles et à découvrir avec vous d'autres façons de satisfaire ses désirs. Dites, par exemple : « C'est le moment d'apprendre que tu n'as pas le droit de prendre des choses qui ne t'appartiennent pas, même si tu en as très envie. » Arrêtez-vous pour voir s'il vous regarde dans les yeux. Donnez-lui le temps d'assimiler la règle. Vous pouvez lui demander ensuite de réfléchir à ce qu'il éprouverait si quelqu'un lui enlevait un de ses jouets bien-aimés.

Ce genre d'incidents permet aussi aux parents d'initier leurs enfants à la résolution des problèmes et de les aider à se socialiser – à voir, dans ce cas précis, que vouloir le jouet d'un autre enfant pose vraiment une difficulté, et qu'il existe peut-être d'autres solutions pour la résoudre. « Que pourrais-tu faire à la place ? » Il vous regardera sans comprendre, mais, s'il est prêt à écouter vos suggestions, dites-lui par exemple : « Tu pourrais peut-être conclure un marché. Proposer un de tes jouets à

Julie si elle te permet de jouer avec le sien. Tu pourrais lui demander de te le prêter, en promettant de le rendre quand tu auras fini de jouer avec. Ou lui demander de te laisser le partager avec toi un petit moment. Après, tu pourrais trouver une façon de jouer tous les deux avec son jouet, ou chacun à son tour. » Emprunter et prêter, jouer chacun à son tour, partager et échanger sont des techniques qu'un enfant de cet âge doit apprendre. De nombreuses répétitions s'imposeront, mais autant commencer tôt.

Si l'enfant continue à bouder – « Je veux juste ce jouet-là » –, le parent, après avoir réparé le tort en restituant l'objet, n'a qu'une chose à faire : compatir. « C'est terriblement dur de ne pas avoir ce qu'on veut. » L'enfant apprend à vivre avec le monde non comme il veut qu'il soit, mais tel qu'il est.

De nombreuses occasions se représenteront au cours des années suivantes. Si chaque épisode peut être géré avec calme et décision, et la différence entre les désirs et la réalité soulignée, le sens de l'honnêteté sera acquis.

Lorsque l'enfant grandit, les vols peuvent être dictés par d'autres motifs. Essayez toujours de voir ce qui se cache derrière l'acte. L'enfant essaie-t-il de vous dire quelque chose d'important?«Je me sens si seul, si peu à la hauteur. Je veux être comme les autres enfants, en particulier ceux à qui j'ai pris quelque chose.» Ou : «J'ai besoin de montrer comme je suis désobéissant pour qu'on me contrôle davantage. J'ai peur et je ne peux pas me maîtriser.» Ou : «Quelque chose d'important me manque dans la vie et je ne sais pas quoi. Alors je prends ce que je trouve.»

Même alors, il convient d'abord de faire clairement prendre conscience à l'enfant qu'un vol doit être assumé et qu'il ne sera pas toléré. Ensuite, le parent doit l'aider à comprendre les raisons de son acte. «Je sais que tu sais que c'est mal de prendre les affaires des autres. Sais-tu pourquoi tu l'as fait?» Souvent l'enfant l'ignore. S'il se montre prêt à y réfléchir, le parent aura déjà commencé à l'aider à se contrôler. S'il répond : «Parce que j'en avais envie, je ne pensais pas que je me ferais prendre», c'est l'occasion ou jamais de l'aider à se demander pourquoi les gens se conduisent bien même quand rien ne les y oblige. Comprendre ce point représente un grand pas dans le développement d'un enfant. Un enfant plus âgé, qui semble fermé à tout ce que vous lui dites et dont les raisons de continuer à voler restent floues, aura besoin de l'aide d'un pédopsychiatre pour parvenir à cette compréhension.

Les enfants plus âgés volent parfois pour être admis dans une bande : « Moi, je suis capable de le piquer au passage dans le magasin. Je suis *cool.* » Les parents doivent absolument obliger l'enfant à restituer l'article volé. Sinon, une ambiguïté persiste. Or il doit être entièrement clair que voler est inadmissible. Mais les parents, effondrés, ont tendance à dramatiser. S'ils discernent le mobile de l'acte, qu'ils en parlent avec lui. S'il dit : « Tout le monde vole au supermarché », le parent peut lui demander : « Tu veux vraiment être comme tout le monde ? »

Ces enfants n'ont pas encore assimilé les leçons des années antérieures, à savoir qu'on ne peut pas toujours avoir ce qu'on veut. Ils peinent à les assimiler à mesure qu'ils grandissent. Si les limites n'ont pas été établies au départ, et si l'enfant n'a pas été pénalisé pour ses vols, ses parents ne seront pas toujours là plus tard pour l'empêcher d'agir. Mais s'il a acquis le sens de l'honnêteté dès son jeune âge, ils sont en droit d'espérer que sa conscience palliera leur absence.

BIBLIOGRAPHIE

BAUMRIND, D., *Child Maltreatment and Optimal Caregiving in Social Contexts*, New York, Garland, 1995.

BRAZELTON, T.B., *Infants and Mothers*, édition révisée, New York, Delacorte Press, 1994. Trad. fr. : *Les Premiers Liens*, Paris, Calmann-Lévy, 1991.

—, *Parents and Toddlers*, édition révisée, New York, Delacorte Press, 1989.

—, *Touchpoints : Your Child's Emotional and Behavioral Development*, Cambridge, Perseus Publishing, 1992. Trad. fr. : *Points forts*, vol. 1 : *Les Moments essentiels du développement de votre enfant*, Paris, Stock, 1993.

— et SPARROW, J.D., *Touchpoints Three to Six : Your Child's Emotional and Behavioral Development*, Cambridge, Perseus Publishing, 2001. Trad. fr. : *Points forts*, vol. 2 : *De trois à six ans : le développement émotionnel et comportemental de votre enfant*, Paris, Stock, 2002.

CANADA, G., *Fist, Stick, Knife, Gun : A Personal History of Violence in America*, Boston, Beacon Press, 1996.

CHESS, S., et THOMAS, A., *Know Your Child : An Authoritative Guide for Today's Parents*, New York, Basic Books, 1987.

COMER, J.P., et POUSSAINT, A.F., *Raising Black Children : Two Leading Psychiatrists Confront the Educational, Social and Emotional Problems Facing Black Children*, New York, Penguin, 1992.

FRAIBERG, S., *The Magic Years*, New York, Scribner, 1959. Trad. fr. : *Les Années magiques : comment comprendre et traiter les problèmes de la première enfance*, Paris, PUF, 1991.

GALINSKY, E., *The Preschool Years : Family Strategies that Work from Experts and Parents*, New York, Ballantine Books, 1991.

GINOTT, H., *Between Parent and Child : New Solutions to Old Problems*, New York, MacMillan, 1971.

GREENE, R.W., *The Explosive Child : A New Approach for Understanding and Parenting Easily Frustrated, «Chronically Inflexible» Children*, New York, Harper-Collins, 1998.

GREENSPAN, S., *Building Healthy Minds*, Cambridge, Perseus Publishing, 2000.

—, *The Challenging Child*, Cambridge, Perseus Publishing, 1996.

JOHNSON, R.L., et STANFORD, P., *Strength for Their Journey : Five Essential Disciplines African-American Parents Must Teach Their Children and Teens*, New York, Harlem Moon Broadway Books, 2002.

KINDLON, D., *Too Much of a Good Thing : Raising Children of Character in an Indulgent Age*, New York, Talk Miramax Books, 2001.

WESTMAN, J. (éd.), *Parenthood in America : Undervalued, Underpaid, Under Siege*, Madison, University of Wisconsin Press, 2001.

QUELQUES SITES INTERNET
POUR PLUS D'INFORMATIONS

- American Academy of Pediatrics
www.aap.org

- Parents Anonymous
www.parentsanonymous.org

- Healthy Families America
www.healthyfamiliesamerica.org

- I Am Your Child Foundation
www.Iamyourchild.org

- Touchpoints Project
www.touchpoints.org

- Zero to Three : National Center for Infants,
Toddlers and Families
www.zerotothree.org